中国工程建设协会标准

城市地下空间运营管理标准

Standard for operation management of urban underground space

CECS 402：2015

主编单位：广　　州　　大　　学
　　　　　广东省基础工程集团有限公司
批准单位：中国工程建设标准化协会
施行日期：2 0 1 5 年 9 月 1 日

中国计划出版社

2015　北　京

中国工程建设协会标准

城市地下空间运营管理标准

CECS 402：2015

☆

中国计划出版社出版

网址：www.jhpress.com

地址：北京市西城区木樨地北里甲11号国宏大厦C座3层

邮政编码：100038　电话：(010)63906433(发行部)

新华书店北京发行所发行

廊坊市海涛印刷有限公司印刷

850mm×1168mm　1/32　3.125印张　80千字

2015年8月第1版　2015年8月第1次印刷

印数1—3080册

☆

统一书号：1580242·729

定价：37.00元

中国工程建设标准化协会公告

第202号

关于发布《城市地下空间运营管理标准》的公告

根据中国工程建设标准化协会《关于印发〈2011年第一批工程建设协会标准制订、修订计划〉的通知》（建标协字〔2011〕45号）的要求，由广州大学、广东省基础工程公司等单位编制的《城市地下空间运营管理标准》，经本协会地基基础专业委员会组织审查，现批准发布，编号为CECS 402：2015，自2015年9月1日起施行。

中国工程建设标准化协会

二〇一五年五月二十日

前　　言

根据中国工程建设标准化协会《关于印发〈2011 年第一批工程建设协会标准制订、修订计划〉的通知》(建标协字〔2011〕45 号)的要求，标准编制组经广泛调查研究，认真总结实践经验，参考有关国内标准，并在广泛征求意见的基础上，制定本标准。

本标准共分 8 章和 5 个附录，主要内容包括：总则、术语、基本规定 、地下空间环境质量控制、地下建筑消防、地下结构健康监测、智能管理 、应急管理。

本标准由中国工程建设标准化协会地基基础专业委员会归口管理，由广州大学结构工程研究所负责具体技术内容的解释(地址：广东省广州市大学城外环西路 230 号广州大学结构工程研究所，邮政编码：510006)。在使用过程中如发现需要修改或补充之处，请将意见和资料径寄解释单位。

主 编 单 位： 广州大学
广东省基础工程集团有限公司

参 编 单 位： 同济大学
中国建筑科学研究院
北京工业大学
重庆大学
天津大学
上海申通地铁集团有限公司
上海建工(集团)总公司
北京城建设计研究总院有限责任公司
广州市建设科学技术委员会办公室
广州市建筑科学研究院有限公司

广州市建筑集团有限公司
广州地铁设计研究院有限公司
广州继善建筑技术有限公司
河南省基本建设科学实验研究院有限公司
河南红旗渠建设集团有限公司
中建地下空间有限公司

主要起草人： 张季超　朱合华　夏继君　衡朝阳　陶连金
刘新荣　郑　刚　雷华阳　白廷辉　胡玉银
杨　铮　胡芝福　胡贺松　许　勇　高俊岳
黄威然　王龙光　闫治国　李　鹏　吴小建
李晓军　王可怡　张　晖　李　强　田　强

主要审查人： 滕延京　梅全亭　康景文　李　霆　周同和
于法典　杨仕超

目　次

Contents

1 总　　则

1.0.1 为了在城市地下空间运营管理中做到安全适用、技术先进、经济合理、确保质量、保护环境，制定本标准。

1.0.2 本标准适用于城市地下空间运营管理中的环境质量控制、地下建筑消防、地下结构健康监测、智能管理和应急管理。

1.0.3 城市地下空间的运营管理，应综合考虑工程地质条件和水文地质条件、地下建筑结构类型、运行环境、使用功能、结构及设备的维护更新、质量管理和运行质量成本，并应重视地下空间类型的差异、行业特点和经验，做到因地制宜、节约资源。

1.0.4 城市地下空间的运营管理除应符合本标准的规定外，尚应符合国家现行有关标准的规定。

2 术　语

2.0.1 城市地下空间　urban underground space

城市规划区内，地表以下或地层内部可供人类利用的区域。

2.0.2 地下空间运营管理　underground space operation management

经竣工验收合格的城市地下空间，在运营阶段为保障其既定正常使用功能的实现，确保地下空间中人员的健康、设备财产的安全，由地下空间运营管理相关部门利用环境质量控制技术、消防技术、健康监测技术、智能管理和应急管理技术所开展的各项管理工作的总称。

2.0.3 地下建筑　underground building and construction

在地表以下修建的建筑物和构筑物的统称。

2.0.4 地下结构　underground structure

地下建筑物以各种工程材料建成的能承受荷载或其他作用的构件的组合体。

2.0.5 电磁辐射　electromagnetic radiation

能量以电磁波的形式通过空间传播的现象。

2.0.6 地下空间防火　fire protection of underground space

地下空间的防火措施，包括火灾前的预防和火灾发生时采取的措施。

2.0.7 耐火性能　fire resistance

结构构件在一定时间内满足标准耐火试验的稳定性、完整性、隔热性的能力。

2.0.8 耐火极限　fire-resistance limit

按时间-温度标准曲线进行耐火试验，从受到火的作用时起，到失去支持能力或完整性被破坏或失去隔火作用时为止的这段时间。

2.0.9 地下结构健康监测 health monitoring of underground structure

对地下结构实施的损伤检测和识别。

3 基本规定

3.1 一般规定

3.1.1 城市地下空间工程竣工验收或项目移交手续办结后，应建立地下空间运营管理组织机构，负责地下空间的运营管理。

3.1.2 城市地下空间运营管理应包括日常管理和应急管理。

3.1.3 日常管理应针对地下空间的特点，开展城市地下空间环境质量控制、地下建筑消防、地下结构健康监测和智能管理。

3.1.4 城市地下空间运营环境质量、建筑消防或结构健康状态指标超过国家现行有关标准限值时，地下空间运营管理组织机构应立即启动应急管理。

3.2 日常管理

3.2.1 地下空间运营管理组织机构应编制地下空间维护、维修管理办法及实施细则。

3.2.2 地下空间运营管理组织机构应建立健全维护管理制度和工程维修档案，统筹安排地下空间使用单位日常维护工作。

3.2.3 地下空间使用单位应编制年度维护维修计划，并报地下空间运营管理组织机构统一协调。

3.2.4 地下空间使用单位开展紧急工程活动应向地下空间运营管理组织机构办理报备手续。

3.2.5 其他建设工程施工需要移动、改建城市地下空间设施，应报经主管部门批准，并报送地下空间运营管理组织机构备案。

3.2.6 毗邻地下空间工程建设应按有关规定留出安全间距，采取施工防护措施，并接受地下空间运营管理组织机构的监督。

3.2.7 城市地下空间应针对其设计功能、安全运行和管理维护的要求，开展实时监测、常规检测和应急检测。常规检测宜一年一次；当地下空间发生影响安全的事故时，应立即停止使用，开展应急检测。

3.2.8 首次常规检测应在城市地下空间工程竣工验收合格或地下空间装修完成 7 天以后开展。

3.2.9 日常管理检测的项目、频率，应结合地下空间运营功能、特点确定。

3.3 应急管理

3.3.1 地下空间运营管理组织机构应制定地下空间运营应急预案，并建立由安全监测系统、报警系统和救助系统组成的应急系统。

3.3.2 地下空间运营管理组织机构应对本单位和地下空间使用单位全体从业人员进行应急培训和交底，每年应组织不少于一次的应急演练。

3.3.3 地下空间运营管理组织机构应根据应急演练和实战结果，开展应急管理的评价、修改和完善。

3.3.4 应急管理检测的项目、频率宜结合地下空间事故类型、特点综合确定。

4 地下空间环境质量控制

4.1 一般规定

4.1.1 城市地下空间运营阶段应开展室内空气质量、防排烟与通风空调系统、环境保护等环境质量的评价与控制。

4.1.2 地下空间采样检测和监测应结合地下空间的类型和特点进行,并评价地下空间环境质量。

4.2 地下空间室内空气质量

4.2.1 城市地下空间室内空气质量评价指标体系宜包括下列内容:

1 物理性指标:温度、相对湿度、空气流速、照度、新风量;

2 化学性指标:二氧化碳、一氧化碳、氨、甲醛、苯、甲苯、二甲苯、总挥发性有机化合物、氮氧化物、铅、可吸入颗粒物;

3 生物性指标:菌落总数、溶血性链球菌;

4 放射性指标:氡浓度。

4.2.2 室内空气质量常规检测及应急检测应包含评价指标体系的全部内容。

4.2.3 室内空气质量实时监测应符合下列规定:

1 新装修的室内环境,应重点进行化学性指标的监测;

2 人群比较密集的室内环境,应重点进行菌落总数、溶血性链球菌、新风量、二氧化碳、氨及氡浓度的监测;

3 地下轨道交通工程,应开展铅及可吸入颗粒物等项目的监测。

4.2.4 采样检测及监测点应符合下列规定:

1 可根据房间的使用功能,人群的高低以及在房间立、坐或卧时间的长短,来选择采样高度,采样点的高度应与人的呼吸带高度一致，相对高度宜为0.5m～1.5m，有特殊要求的可根据具体情况而定；

2 采样点位的数量应根据室内面积大小和现场情况确定，应能正确反映室内空气污染物的污染程度。小于$50m^2$的房间应布设1个点；$50m^2$～$100m^2$的房间应设2个点；$100m^2$以上的房间每增加$50m^2$相应增加一个测点，房间增加的面积不足$50m^2$时，按$50m^2$计算；

3 多点采样时应按对角线或梅花式均匀布点，离墙壁距离应大于0.5m，离门窗距离应大于1m，并应避开通风口。

4.2.5 室内空气质量指标参数及检验方法可按表4.2.5确定。

表4.2.5 室内空气质量指标参数及检验方法

参数名称	检验方法
温度	玻璃液体温度计法、数显式温度计法
相对湿度	通风干湿表法、氯化锂湿度计法、电容式数字湿度计法
照度	照度计法
空气流速	热球式电风速计法、数字式风速表法
新风量	示踪气体法
二氧化碳	气相色谱法、容量滴定法、不分光红外线气体分析法
一氧化碳	非分散红外线气体分析法、气相色谱法、不分光红外线气体分析法
氨	靛酚蓝分光光度法
甲醛	酚试剂比色法、气相色谱法
苯/甲苯/二甲苯	气相色谱法
总挥发性有机化合物	气相色谱法
氮氧化物	盐酸萘乙二胺分光光度法
铅	火焰原子吸收分光光度法
可吸入颗粒物(PM10)	撞击式-称重法
菌落总数	撞击法
溶血性链球菌	撞击法
氡浓度	活性碳盒法、径迹蚀刻探测器法、连续氡监测仪法

4.2.6 城市地下空间室内空气质量指标应符合现行国家标准《民用建筑工程室内环境污染控制规范》GB 50325 的有关规定。

4.3 地下空间防排烟与通风空调系统

4.3.1 地下空间防排烟系统与通风空调系统的组成宜包括下列内容：

1 防排烟系统：挡烟垂壁、排烟口、防火阀、排风(烟)道、送排风(烟)风机、排风(烟)前道送风口、排烟口；

2 通风空调系统：空气处理机、送排风管、送排风口、风口、风道组成，自然通风与排烟由地下空间通风井、风道出入口风道。

4.3.2 地下空间防排烟与通风空调设备，应按实际安装数量的10％～20％抽验系统联动控制功能，其控制功能和信号均应正常。

4.3.3 自动排烟系统应按系统全检，并应符合下列规定：

1 火灾探测器报警确认后自动排烟系统应能联动火灾模式；

2 自动排烟系统应能控制相关风机的自动启动；

3 防火阀、排烟阀、防烟防火阀的动作应准确可靠；

4 对于通风排烟合用系统的风机，运行状态应能自动切换。

4.3.4 机械加压送风系统应按系统全检，并应符合下列规定：

1 自动控制方式下，分别触发两个相关的火灾探测器，相应送风阀、送风机的动作和信号反馈应准确可靠；

2 在保护区域的顶层、中间层及最下层，用微压计测量的防烟楼梯间、前室、合用前室的余压应符合规定；

3 全部复位应能恢复到正常警戒状态。

4.3.5 城市地下空间防排烟和通风空调系统检测应符合现行行业标准《建筑消防设施检测技术规程》GA 503 的有关规定。

4.4 地下空间环境保护

4.4.1 城市地下空间环境噪声、振动、废水、废气和电磁辐射指标应控制在国家现行有关标准允许的范围内。

4.4.2 城市地下空间环境噪声排放限值和测量方法应符合下列规定：

1 工业企业和固定设备厂界环境噪声排放限值和测量方法应符合现行国家标准《工业企业厂界环境噪声排放标准》GB 12348 的有关规定；

2 机关、事业单位、团体等对外环境排放噪声的单位也应按现行国家标准《工业企业厂界环境噪声排放标准》GB 12348 的有关规定执行；

3 营业性文化娱乐场所和商业经营活动中产生环境噪声污染的设备、设施边界噪声排放限值和测量方法应符合现行国家标准《社会生活环境噪声排放标准》GB 22337 的有关规定；

4 地下空间运营期间施工场地噪声排放限值及其监测应按现行国家标准《建筑施工场界环境噪声排放标准》GB 12523 的有关规定执行。

4.4.3 噪声测量时测点位置布设应符合下列规定：

1 根据工业企业声源、社会生活噪声排放源、周围噪声敏感建筑物的布局以及毗邻的区域类别，应在工业企业厂界、社会生活噪声排放源边界布设多个测点，包括距噪声敏感建筑物较近以及受被测声源影响大的位置；

2 测点应选在工业企业厂界、社会生活噪声排放源边界外 1m、高度 1.2m 以上、距任一反射面距离不小于 1m 的位置，当厂界、边界无法测量到声源的实际排放状况时，宜在受影响的噪声敏感建筑物户外 1m 处另设测点；

3 厂界、边界有围墙且周围有受影响的噪声敏感建筑物时，测点应选在厂界、边界外 1m、高于围墙 0.5m 以上的位置；

4 室内噪声测量时，室内测量点位应设在距任一反射面至少 0.5m 以上、距地面 1.2m 高度处，在受噪声影响方向的窗户开启状态下测量；

5 固定设备结构传声至噪声敏感建筑物室内，在噪声敏感建筑物室内测量时，测点应距任意反射面至少0.5m以上、距地面1.2m、距外窗1m以上，窗户关闭状态下测量。被测房间内的其他可能干扰测量的声源应关闭。

4.4.4 噪声测量各个测点的测量结果应采用最大声级单独评价，同一测点每天的测量结果应按昼间、夜间分别进行评价。

4.4.5 城市地下空间运营环境振动应符合现行国家标准《城市区域环境振动标准》GB 10070规定的相应区域振动限值的要求，其振动监测工作应满足现行国家标准《城市区域环境振动测量方法》GB/T 10071的有关要求。

4.4.6 城市地下空间运营环境振动测量应采用铅垂向振级测量，读值方法和评价量应符合下列规定：

1 采用的仪器时间计权常数应为1s；

2 稳态振动应取每个测点5s内的平均示数作为评价量；

3 冲击振动应取每次冲击过程中的最大示数作为评价量。对于重复出现的冲击振动，应以10次示数的算术平均值作为评价量；

4 无规振动每个测点应等间隔地读取瞬时示数，每次采样间隔不大于5s，连续测量时间不少于1000s，并应以10次最大示数的最大值作为评价量。

4.4.7 环境振动测量测点应置于各类区域建筑物室外0.5m以内振动敏感处，可置于建筑物室内地面中央。拾振器应平稳地安放在平坦、坚实的地面上，其灵敏度主轴方向应与测量方向一致。

4.4.8 城市地下空间废水污染物最高允许排放浓度及最高允许排水量应符合现行行业标准《污水排入城镇下水道水质标准》CJ 343的有关规定。

4.4.9 城市地下空间废水监测的内容和项目应符合现行行业标准《地表水和污水监测技术规范》HJ/T 91和《固定污染源监测质量保证与质量控制技术规范》HJ/T 373的有关规定。

4.4.10 城市地下空间的大气污染物排放标准应符合国家现行有

关标准的要求。

4.4.11 城市地下空间大气环境影响监测应符合现行行业标准《固定源废气监测技术规范》HJ/T 397 和《固定污染源监测质量保证与质量控制技术规范》HJ/T 373 的有关规定。

4.4.12 城市地下空间电磁辐射限值和测量方法应符合国家现行标准《电磁环境控制限值》GB 8702、《辐射环境监测技术规范》HJ/T 61 和《辐射环境保护管理导则 电磁辐射监测仪器和方法》HJ/T 10.2的有关规定。

4.4.13 地下空间运营管理组织机构开展环境质量监测应符合下列规定：

1 新建、改建、扩建后的地下空间，提交投入使用后一年的监测报告；

2 新装修的地下空间，提交投入使用后半年的监测报告。

5 地下建筑消防

5.1 一般规定

5.1.1 城市地下空间运营阶段应开展地下空间防火性能、消防电气系统和消防给水与灭火系统等地下建筑消防监控。

5.1.2 城市地下空间新装修、改造等工程应开展防火性能、消防电气设备和消防给水与灭火系统的检测，通过验收合格后再投入使用和运营。

5.1.3 城市地下空间应定期进行运营阶段消防系统常规检测。各消防设施组件和设备的铭牌和标志应清晰准确，确保消防产品的质量、有效期等均应符合现行行业标准《建筑消防设施检测技术规程》GA 503 的有关规定。

5.2 地下空间防火性能

5.2.1 城市地下空间防火性能应符合下列规定：

1 地下空间工程及出入口、通风亭的耐火等级应为一级；

2 地下建筑防火分区、防火分区之间的防火墙、防火门、防火卷帘及其他防火分隔和建筑构配件的耐火性能应符合国家现行有关标准的规定；

3 建筑材料及制品的燃烧性能或耐火极限应符合设计防火要求。

5.2.2 建筑材料及制品、建筑构件和电线电缆应经防火性能检测合格后，再在城市地下空间使用和放置。

5.2.3 城市地下空间的建筑材料及制品防火性能检测应符合下列规定：

1 建筑材料及制品燃烧性能级别，应满足现行国家标准《建筑材料及制品燃烧性能分级》GB 8624的有关要求；

2 复合材料应以定型产品进行燃烧性能检测，并对其进行综合评定；

3 在现场以喷涂、粘贴或其他方法附加于内装饰基材表面的涂层或其他面层，且对基材燃烧特性有明显影响时，应将饰面连同基材一并制取成试样进行试验，做出整体综合评价；

4 对表面进行防火处理的材料，其燃烧性能分级应以处理后的材料进行试验和评定；

5 装修材料除嵌缝材料外，应采用不燃材料；

6 用于建筑构件的防火涂料进行耐火性能检测时，基材应与实际使用情况一致。

5.2.4 进行防火处理的地下空间装修材料应按下列规定进行抽样检验：

1 现场进行阻燃处理后的纺织物，每种应取 $2m^2$ 检验其燃烧性能；

2 施工过程中受湿浸、燃烧性能可能受影响的纺织织物，每种应取 $2m^2$ 检验其燃烧性能；

3 现场进行阻燃处理的木质材料，每种应取 $4m^2$ 检验其燃烧性能；

4 表面进行加工后的B、C级木质材料，每种应取 $4m^2$ 检验其燃烧性能；

5 现场进行阻燃处理的泡膜塑料，每种应取 $0.1m^3$ 检验其燃烧性能；

6 现场进行阻燃处理的复合材料，每种应取 $4m^2$ 检验其燃烧性能。

5.2.5 城市地下空间材料及制品的核查、检验应按本标准附录A的要求填写检查记录。

5.2.6 地下建筑构件防火性能检测应符合下列规定：

1 建筑构件的燃烧性能和耐火极限，应满足现行国家标准

《建筑设计防火规范》GB 50016 的有关要求；

2 建筑构件耐火性能检测，宜按现行国家标准《建筑构件耐火试验方法》GB/T 9978 的有关规定进行试验。

5.2.7 当需要进行地下建筑构件耐火性能试验时，采用的升温曲线和相应的判定标准应按现行国家标准《建筑设计防火规范》GB 50016 的有关规定执行。

5.2.8 城市地下空间阻燃和耐火电线电缆的技术特性和试验方法，应符合现行国家标准《阻燃和耐火电线电缆通则》GB/T 19666 的有关规定，电缆防火涂料的技术特性和试验方法，应符合现行行业标准《电缆防火涂料》GB 28374 的有关规定。

5.3 地下空间消防电气系统

5.3.1 城市地下空间消防电气系统应包括电气系统、火灾报警系统和消防系统。

5.3.2 城市地下空间消防电气系统应检测合格后再使用，其检测方法应符合现行行业标准《建筑消防设施检测技术规程》GA 503 的有关规定。

5.3.3 城市地下空间电气设备应包括变压器室、高(低)压配电装置和低压配电箱(盘)、低压配电线路、电气照明装置、消防设备应急电源和消防供配电设施，其检测应包括下列内容：

1 变压器室的设置位置、防火等级及孔洞封堵等；变压器的设置、外观质量、组件完整性及防火措施等；高低压电缆(线)的敷设等；变压器绕组和高低电缆(线)各接点的温度及热谱图；

2 高(低)压配电装置的设置、安装质量、柜内配线、高(低)压电缆(线)接头、接地、配件的完整及防火措施等；各相线的电压(流)值、工作零线的不平衡电流值、保护零线有无异常电流及接地电阻值等；导线及其连接点、开关触头的温度及热谱图；

3 配电箱(盘)的设置、材质、安装质量、柜内配线、接线端子连接、接地及防火措施等；负荷电流值、工作零线电流值及保护零线有无异常电流；箱(盘)内各接线端子、断路器触头的温度及热谱图；有无打火放电现象；

4 不同用电场所低压配电线路的暗敷、明敷、直敷及穿保护管的线路在安装使用中存在的电气火灾隐患；

5 不同用电场所各种照明装置、开关、插座在安装使用中存在的电气火灾隐患；

6 配电线路最末一级配电箱处消防设备用电自动切换装置设置；

7 应急发电机及日用油箱或油库安装是否符合消防规范；应急电源与市电切换的可靠性及切换时间是否满足设计要求；应急电源容量是否满足消防状态时消防设备运行总负荷要求，运行状态是否正常；末端配电箱电源自动切换开关切换可靠性。

5.3.4 城市地下空间火灾报警系统应包括火灾报警控制器、火灾报警探测器、警报装置、手动报警按钮、消防联动控制设备和阴极射线管图形显示器，其检测应包括下列内容：

1 火灾报警功能、故障报警功能、自检功能、显示与计时功能等；主、备电源的自动转换与显示状态的正确性；

2 点型、线型感温探测器在试验热源作用下动作；火焰探测器在试验光源作用下动作；可燃气体报警功能、故障报警功能、本机自检功能、显示与计时功能等；

3 警报装置在接收火灾报警控制器输出的控制信号后，发出声警报或声、光警报信号；

4 不少于总数 25%的数量检测在触发手动报警按钮时，火灾报警控制器火警信号显示和按钮的报警确认灯；检测先复位手动按钮，后复位火灾报警控制器，火灾报警控制器和按钮的报警确认灯；

5 检查消防联动控制设备与输入/输出模块间的连线发生断路、短路时，应能在 100s 内发出与火灾报警信号有明显区别的声、光故障信号；

6 检查有器件报警时，阴极射线管图形显示器自动弹出器件所在的图层，相应报警标志及报警灯动作；按照时间、事件类型和器件类型分别查询、显示所有报警记录和记录打印查询记录功能。

5.3.5 城市地下空间消防系统应包括应急照明设备、疏散指示标志、应急广播系统、消防专用电话、防火卷帘等，其检测应包括下列内容：

1 应急照明灯具安装及指示、电源转换时间、应急工作状态的持续时间、疏散照明以及发生火灾时仍需坚持工作的其他房间照度；

2 疏散指示标志安装、疏散方向的指示、辅助性自发光疏散指示标志亮度及持续时间、灯光疏散指示标志照度及应急工作状态的持续时间；

3 应急广播系统的扩音机、扬声器、系统功能；

4 消防控制室与设备间所设的对讲电话、电话插孔、消防控制室的119外线火警电话；

5 防火卷帘的联动检查。

5.4 地下空间给水与灭火系统

5.4.1 城市地下空间给水与灭火系统应开展相关设备和系统功能的检查。

5.4.2 城市地下空间稳压泵、增压泵、变频供水设备及气压水罐、消防水泵、水泵控制柜、水泵接合器、室内消火栓、室外消火栓、湿式报警阀、干式报警阀、雨淋报警阀、预作用报警阀组、水流指示器、喷头等设备工作性能应符合国家现行有关产品标准的规定。

5.4.3 系统功能检测应符合下列规定：

1 消火栓栓口处的静水压力、出水压力应符合设计要求；

2 自动喷水灭火系统应设置在自动控制状态，其抽验应符合现行国家标准《自动喷水灭火系统设计规范》GB 50084和《自动喷水灭火系统施工及验收规范》GB 50261的有关规定；

3 泡沫灭火系统应符合现行国家标准《泡沫灭火系统设计规范》GB 50151 的有关规定；

4 气体灭火系统按实际安装数量的 20%～30%抽验其控制功能。

5.4.4 城市地下空间手提式灭火器和悬挂式灭火装置应在有效期内使用，经过维修的应有维修标志，灭火剂贮存容器内的充装量，应按实际安装的灭火器贮存容器总数的 10%～20%进行称重抽查，报废年限应符合现行行业标准《灭火器维修与报废》GA 95 的有关规定。

5.4.5 城市地下空间柜式无管网灭火装置应符合现行国家标准《气体灭火系统设计规范》GB 50370 的有关规定。

6　地下结构健康监测

6.1　一般规定

6.1.1　地下结构在运营阶段应进行常规检测。在经历地震、火灾、爆炸等灾害和异常事故后应进行应急检测。

6.1.2　地下结构健康监测内容应根据城市地下空间的行业性质和特点，有针对性的选择和确定技术方案，并应覆盖病害发生部位，其内容和频次应根据地下空间使用功能和人群聚集程度等因素综合确定。

6.2　地下结构检查内容及要求

6.2.1　常规检测应根据地下结构特点选择检测点，其内容应符合表 6.2.1 的规定。

表 6.2.1　地下结构经常性检查内容

检查部位		检查项目	检查方法
主体		漏水	目视等
		地下水酸碱度	采用酚酞试纸测试检测全部可见漏水点
		表面缺陷(缺棱掉角、混凝土剥落、裂缝)	目视、开裂宽度测定、锤击检查
接头	接头的移动	轴向、垂直、水平向的伸缩量，温湿度	用游标卡尺测定接头的变化
	接头部位和止水带	渗(漏)水和变质情况	目视、锤击检查
	止水钢板	止水钢板的腐蚀、焊接处的损伤	目视

续表 6.2.1

检查部位		检查项目	检查方法
地层	地基	结构和基础间空隙、垂直下沉、水平位移等	下沉计、三维测量系统、地质雷达等
	覆盖土砂	土砂的堆积	声波探测、三维测量系统

6.2.2 地下结构在经历地震后应急检测的内容应符合表6.2.2的规定。

表 6.2.2 地下结构在经历地震后应急检测的内容

检查部位		需要检查的状态	检查项目	检查方法
主体结构检查	混凝土构件	地震烈度达到Ⅳ度(0.02g)及以上时	开裂、漏水、剥离	目视、开裂宽度测定、锤击检查
	钢构件	地震烈度达到Ⅵ度(0.08g)及以上时	漏水、变形	目视、锤击、变形量测
接头构件检查	接头变形	地震烈度达到Ⅲ度(0.008g)及以上时	轴向伸缩量，上下、左右位移量	游标卡尺测量
			接头、止水带的渗(漏)水和变质情况的检查	目视、锤击检查
	止水钢板	地震烈度达到Ⅳ度(0.02g)以上时	止水钢板的变形焊接处的损伤	目视、超声波探测
其他部位检查	地基	地震烈度达到Ⅲ度(0.008g)以上时	与经常性检查同	与经常性检查同
	覆盖土砂	地震烈度达到Ⅳ度(0.02g)以上时	确认覆土厚度	声波测试、三维测量系统
	沉管移动	地震烈度达到Ⅵ度(0.08g)以上时	垂直、水平方向的移动	参考经常性检查方法

6.2.3 地下结构在经历火灾或异常事故发生后应急检测的内容应符合表 6.2.3 的规定。

表 6.2.3　地下结构在经历火灾或异常事故发生后的检测内容

异常事故	检查部位		需要检查的状态	检查项目	检查方法
火灾	主体检查	混凝土构件	火灾发生后	开裂、剥离	目视及锤击、超声波法
		钢结构（端部钢板）	接头附近发生火灾	变形	目视及测定变形量
	接头检查	止水钢板	接头附近发生火灾	止水钢板变形、焊接处损伤	目视、超声波探测
爆炸事故	主体检查	混凝土构件	爆炸事故发生后	开裂、漏水、剥离	目视、锤击、超声波法，漏水流量测量
		钢结构（端部钢板）	接头附近发生爆炸事故	漏水、变形	目视、变形量测量
	接头检查	止水钢板	接头附近发生爆炸事故	止水钢板变形、焊接处损伤	目视、锤击、超声波探伤等
异常潮位发生	主体检查	混凝土构件	潮位变化超过设计允许范围时	开裂、漏水	目视、锤击、超声波法，漏水流量测量
		钢结构（端部钢板）	潮位变化超过设计允许范围时	漏水、变形	目视、变形测量、漏水流量测量
车辆事故发生	主体检查	混凝土构件	内壁等发现有冲击痕迹时	开裂、剥离	目视、锤击、超声波检测等
船舶沉没及其他	主体检查	混凝土构件	锚落在地下结构上或可能有沉船	开裂、漏水	目视及锤击、超声波检测
		接头变形量	地下结构上有沉船	轴向、垂直、水平方向变形量	三维测量系统或游标卡尺测量
	接头检查	止水钢板	—	止水钢板变形、焊接处损伤	目视及锤击、超声波检测
疏浚	—	—	疏浚作业	确认覆盖层厚度	声波探测或常规测量

6.3 地下结构健康检测与监测

6.3.1 地下结构健康检测与监测应包括地下结构渗漏水检测、缺陷检测、结构监测、环境监测等内容。穿越水系和建(构)筑物或有特殊要求等地段的监控量测项目应根据设计要求确定。

6.3.2 地下结构健康检测与监测应按表6.3.2执行,测量精度及指标应符合设计要求。

表6.3.2 地下结构健康检测与监测要求

项目名称		检验方法	备注
渗漏水		照相,流量测试仪器等	渗漏水部位全检
裂缝	宽度	裂缝显微镜或游标卡尺	裂缝部位全检,并利用表格或图形的形式记录裂缝位置、方向、密度、形态和数量等因素
	长度	米尺测量	
	深度	超声法、钻取芯样	
结构缺陷检测	外观质量缺陷	目视、尺量和照相	缺陷部位全检,并利用图形记录
	内部缺陷	地质雷达法(本标准附录B)、声波法(本标准附录C)和冲击反射法等非破损方法,辅以局部破损方法进行验证	结构拱顶和拱肩处,3条线连续检测
	衬砌厚度		每20m(曲线)或50m(直线)一个断面,每个断面不少于5个测点
	混凝土碳化深度	用浓度为1%的酚酞酒精溶液(含20%的蒸馏水)测定	每20m(曲线)或50m(直线)一个断面,每个断面不少于5个测点
	钢筋锈蚀程度	地质雷达法或电磁感应法等非破损方法,辅以局部破损方法进行验证	每20m(曲线)或50m(直线)一个断面,每个断面不少于3个测区
混凝土强度		回弹法、超声回弹综合法、后装拔出法或钻芯法等	每20m(曲线)或50m(直线)一个断面,每个断面不少于5个测点

续表 6.3.2

<table>
<tr><th colspan="2">项目名称</th><th>检验方法</th><th>备注</th></tr>
<tr><td rowspan="4">横断面测量</td><td>衬砌变形</td><td>全站仪、水准仪或激光断面仪等测量</td><td>异常的变形部位布置断面</td></tr>
<tr><td>结构轮廓</td><td>激光断面仪法(本标准附录D)或全站仪法等</td><td>每20m(曲线)或50m(直线)一个断面,测点间距≤0.5m</td></tr>
<tr><td>结构轴线平面位置</td><td>全站仪测中线</td><td>每20m(曲线)或50m(直线)一个断面</td></tr>
<tr><td>隧道轴线高程</td><td>水准仪测高程</td><td>每20m(曲线)或50m(直线)一个测点</td></tr>
<tr><td colspan="2">差异沉降</td><td>水准仪测高程</td><td>异常的变形部位</td></tr>
<tr><td colspan="2">结构应力</td><td>应变测量</td><td>根据监测仪器施工预埋情况选做</td></tr>
</table>

6.3.3 裂缝观测应按现行行业标准《建筑变形测量规范》JGJ 8的有关规定进行,对于仍在发展的裂缝应进行定期观测,提供裂缝发展速度的数据。

6.3.4 采用超声法进行缺陷监测及检测时,可按现行协会标准《超声法检测混凝土缺陷技术规程》CECS 21 的有关规定执行。

6.3.5 在进行混凝土碳化深度测量时,应将酚酞酒精溶液滴在暴露的混凝土面上,并以混凝土变色与未变色的交接面作为混凝土碳化的界面。

6.3.6 钢筋的锈蚀情况可按现行国家标准《建筑结构检测技术标准》GB/T 50344 的有关规定进行检测。

6.3.7 除有特殊的检测要求外,混凝土抗压强度检测应符合下列规定:

1 采用回弹法时,被检测混凝土的表层质量应具有代表性,且混凝土的抗压强度和龄期不应超过现行行业标准《回弹法检测混凝土抗压强度技术规程》JGJ/T 23 限定的范围;

2 用超声回弹综合法时，被检测混凝土的内外质量应无明显差异，且混凝土的抗压强度不应超过现行行业标准《回弹法检测混凝土抗压强度技术规程》JGJ/T 23 限定的范围；

3 采用后装拔出法时，被检测混凝土的表层质量应具有代表性，且混凝土的抗压强度和粗骨料的最大粒径不应超过现行协会标准《拔出法检测混凝土强度技术规程》CECS 69 限定的范围；

4 当被检测混凝土的表层质量不具有代表性时，应采用钻芯法；当被检测混凝土的龄期或抗压强度超过回弹法、超声回弹综合法或后装拔出法等相应技术规程限定的范围时，可采用钻芯法或钻芯修正法；

5 在回弹法、超声回弹综合法或装拔出法适用的条件下，宜进行钻芯修正或利用同条件养护立方体试块的抗压强度进行修正；

6 采用钻芯修正法时，可选用总体修正量的方法确定混凝土抗压强度推定区间，并应满足现行国家标准《建筑结构检测技术标准》GB/T 50344 的有关要求；

7 采用对应样本修正量、对应样本修正系数或对应修正系数的修正方法确定混凝土抗压强度时，直径 100mm 混凝土芯样试件的数量不应少于 6 个；现场钻取直径 100mm 的混凝土芯样确有困难时，也可采用直径不小于 70mm 混凝土芯样，但芯样试件的数量不应小于 9 个。

6.3.8 混凝土的抗拉强度可采用对直径 100mm 的芯样试件施加劈裂荷载或直拉荷载的方法检测，劈裂荷载的施加方法可按照现行国家标准《普通混凝土力学性能试验方法标准》GB/T 50081 的有关规定执行，直拉荷载的施加方法可按现行协会标准《钻芯法检测混凝土强度技术规程》CECS 03 的有关规定执行。

6.3.9 受环境侵蚀或遭受火灾、高温等影响，地下结构中未受到影响部分混凝土的强度可采用钻芯法检测。加工芯样试件时，应将芯样上混凝土受影响层切除；混凝土受影响层的厚度可依据具体情况分别按最大碳化深度、混凝土颜色产生变化的最大厚度、明显损伤层的最大厚度确定，可按芯样侧表面硬度测试情况确定。混凝土受影响层能剔除时，可采用回弹法或回弹加钻芯修正的方法检测，回弹测区的质量应符合现行行业标准《回弹法检测混凝土抗压强度技术规程》JGJ/T 23 的规定。

6.3.10 混凝土的强度标准值可根据本标准附录 E 的规定确定。

6.3.11 对于受环境侵蚀和灾害影响的地下结构构件，应按现行国家标准《混凝土结构工程施工质量验收规范》GB 50204 的有关规定要求在损伤最严重部位量测截面尺寸，并提供量测的位置、检测方法和尺寸偏差的允许值。

6.3.12 环境侵蚀可按现行国家标准《建筑结构检测技术标准》GB/T 50344 有关规定进行检测，应确定侵蚀源、侵蚀程度和侵蚀速度；对火灾等造成的损伤，应确定灾害影响区域和受灾害影响的构件，确定影响程度和损伤程度；宜确定对混凝土结构的安全性及耐久性影响程度。

6.3.13 地下结构环境监测应包括运营阶段地表沉降观测、邻近建(构)筑物变形量测和地下管线变形量测等，并应符合国家现行标准《民用建筑可靠性鉴定标准》GB 50292 和《建筑变形测量规范》JGJ 8 等的有关规定。

6.3.14 地下结构健康监测控制点应该设置在不受运营影响的位置，并设置牢固。测定时应联测控制导线的 2～3 个点，以提高精度和检查点位有无位移。

6.4 地下结构状态评价

6.4.1 地下结构状态应评价包括健康评价及可靠性评价。地下结构健康评价应采用劣化评价方法，综合体现地下结构功能、结构材料劣化等级等要求；可靠性评价应按现行国家标准《民用建筑可靠性鉴定标准》GB 50292 的有关规定结构分解评价单元后按层次依次进行评估。

6.4.2 地下结构外观质量缺陷等级可按表 6.4.2 划分。

表 6.4.2 外观质量缺陷等级

缺陷	缺陷描述	等级
裂缝	可见贯穿裂缝	严重缺陷
	长度穿过密封槽、宽度大于 0.1mm，且深度大于 1mm 的裂缝	严重缺陷
	非贯穿性干缩裂缝	一般缺陷
外形缺陷	缺棱掉角、混凝土剥落等	一般缺陷
外表缺陷	管片表面麻面、掉皮、起砂、存在少量气泡等	一般缺陷

6.4.3 地下结构裂损劣化等级可按表 6.4.3 划分。

表 6.4.3 地下结构裂损劣化的等级划分

裂化等级		裂损程度		
		变形或移动	开裂、错动	压溃
A	AA（极严重）	衬砌移动加速；衬砌变形、移动、下沉发展迅速，威胁使用安全	开裂或错台长度 L 大于 10m，开裂或错台宽度 B 大于 5mm，且变形继续发展，拱部开裂呈块状，有可能掉落	拱顶压溃范围 S 大于 3m^2；或衬砌剥落最大厚度大于衬砌厚度的 1/4，发生时会危及使用安全
	A_1（严重）	变形或移动速度 $v>10$mm/年	开裂或错台长度 L 大于或等于 5m 且小于或等于 10m，但开裂或错台宽度 5mm；开裂或错台衬砌呈块状，在外力作用下有可能崩坍和剥落	拱顶压溃范围 S 大于或等于 1m^2 且小于或等于 3m^2；或有可能掉块
B（较重）		—	开裂或错台长度 L 小于 5m 且开裂或错台宽度 B 大于或等于 3mm 且小于或等于 5mm；裂缝有发展，但速度不快	拱顶剥落规模较小，但可能对使用造成威胁；拱顶压溃范围 S 小于 1m^2，剥落块体大于 30mm

续表 6.4.3

裂化等级	裂损程度		
	变形或移动	开裂、错动	压　　溃
C(中等)	—	开裂或错台长度 L 小于 5m 且开裂或错台宽度 B 小于 3mm	拱顶压溃范围很小
D(轻微)	—	一般龟裂或无发展状态	个别地方被压溃

6.4.4 地下水 PH 值及地下结构腐蚀程度等级可按表 6.4.4 划分。

表 6.4.4 pH 值与地下结构腐蚀程度等级

劣化等级		pH 值	对混凝土的作用
A	AA(极严重)	—	—
	A_1(严重)	< 4.0	水泥被溶解，混凝土可能会出现崩裂
B(较重)		4.1～5.0	在短时间内混凝土表面凹凸不平
C(中等)		5.1～6.0	混凝土表面容易变酥、起毛
D(轻微)		6.1～7.9	视混凝土表面有轻微腐蚀现象

6.4.5 地下渗漏水对地下结构功能影响程度可按表 6.4.5 评定。

表 6.4.5 地下渗漏水对地下结构功能影响程度的评定

漏水或涌水的危害等级		地下结构状态
A	AA(极严重)	水突然涌入地下结构，淹没地下结构底部，危及使用安全；对于布设电力线路区段，拱部漏水直接传至电力线路
	A_1(严重)	地下结构底部冒水，拱部滴水成线，边墙淌水，造成严重翻浆冒泥、地下结构底部下沉，不能保持正常几何尺寸，危害正常使用
B(较重)		地下结构滴水、淌水、渗水等引起洞内局部地下结构底部翻浆冒泥
C(中等)		漏水使地下结构底部状态恶化，钢轨腐蚀，养护周期缩短，继续发展，将来会升至 B 级
D(轻微)		有漏水，但不影响地下结构的使用功能，不超过地下工程防水等级Ⅳ级标准

6.4.6 地下结构衬砌材料劣化等级按表 6.4.6 评定。

表 6.4.6 衬砌材料劣化等级评定

<table>
<tr><th colspan="2" rowspan="2">劣化等级</th><th colspan="2">裂化类型</th></tr>
<tr><th>混凝土衬砌腐蚀</th><th>砌块衬砌腐蚀</th></tr>
<tr><td rowspan="2">A</td><td>AA
(极严重)</td><td>衬砌材料劣化严重，经常发生剥落，危及使用安全；
初砌厚度为原设计厚度的 3/5，混凝土强度大大下降</td><td>拱部接缝劣化严重，拱部衬砌有可能掉落大块体(与砌块大小一样)</td></tr>
<tr><td>A_1
(严重)</td><td>衬砌材料劣化，稍有外力或振动，即会崩塌或剥落，对安全使用产生重大影响；
腐蚀深度 10mm，面积达 0.3m^2；
衬砌有效厚度为设计厚度的 2/3 左右</td><td>接缝开裂，其深度大于 100mm，砌块错落大于 10mm</td></tr>
<tr><td colspan="2">B(较重)</td><td>衬砌剥落，材质劣化，衬砌厚度减少，混凝土强度有一定的降低</td><td>接缝开裂，但深度小于 10mm 或砌块有剥落，但剥落体在 40mm 以下</td></tr>
<tr><td colspan="2">C(中等)</td><td>衬砌有剥落，材质劣化，但不可能有急剧发展</td><td>接缝开裂，但深度不大，或砌块有风化剥落，但块体很小</td></tr>
<tr><td colspan="2">D(轻微)</td><td>衬砌有起毛或麻面蜂窝现象，但不严重</td><td>砌块有轻微风化</td></tr>
</table>

6.4.7 地下结构劣化等级按表 6.4.7 划分。

表 6.4.7 地下结构劣化等级划分

<table>
<tr><th colspan="2">劣 化 等 级</th><th>对结构功能及使用安全的影响</th><th>措 施</th></tr>
<tr><td rowspan="2">A</td><td>AA(极严重)</td><td>结构功能严重劣化，危及使用安全</td><td>立即采取措施</td></tr>
<tr><td>A_1(严重)</td><td>结构功能严重劣化，
进一步发展危及使用安全</td><td>尽快采取措施</td></tr>
<tr><td colspan="2">B(较重)</td><td>劣化继续发展会升至 A 级</td><td>加强监视，必要时采取措施</td></tr>
<tr><td colspan="2">C(中等)</td><td>影响较少</td><td>加强检查，正常维修</td></tr>
<tr><td colspan="2">D(轻微)</td><td>无影响，或者达不到 C 级标准</td><td>正常保养及巡检</td></tr>
</table>

6.4.8 地下结构可靠性评价应按现行国家标准《民用建筑可靠性鉴定标准》GB 50292 规定的检查项目和步骤执行，并应符合下列规定：

1 鉴定评级应按构件、子单元和鉴定单元各分三个层次。每一层次分为四个安全性等级和三个使用性等级，并从第一层开始，分层进行：

1） 根据构件各检查项目评定结果确定单个构件等级；

2） 根据子单元各检查项目及各种构件的评定结果确定子单元等级；

3） 根据各子单元的评定结果确定鉴定单元等级。

2 各层次可靠性鉴定评级应以该层次安全性和正常使用性的评定结果为依据综合确定。每一层次的可靠性等级分为四级；

3 仅要求鉴定某层次的安全性或正常使用性时，检查和评定工作可只进行到该层次相应程序规定的步骤。

6.4.9 当不要求给出可靠性等级时，地下结构各层次的可靠性可采取直接列出其安全性等级和使用性等级的形式予以表示。当需要给出地下结构物各层次的可靠性等级时，可根据其安全性和正常使用性的评定结果，按下列原则确定：

1 当该层次安全性等级低于现行国家标准《民用建筑可靠性鉴定标准》GB 50292 规定的 b_u 级、B_u 级或 B_{su} 级时，应按安全性等级确定；

2 除第 1 款规定的情形外，可按安全性等级和正常使用性等级中较低的一个等级确定；当考虑鉴定对象的重要性或特殊性时，允许对评定结果作不大于一级的调整。

7 智能管理

7.1 一般规定

7.1.1 城市地下空间宜利用信息化技术和最新的科技成果，建立建筑智能系统，完善地下空间管理组织体系、管理制度、运行机制，协调地下空间运营、维护等各个环节，提高地下空间运营管理效率，实现地下空间管理标准化、市场化、程序化。

7.1.2 城市地下空间建筑智能系统宜包括智能化集成系统、信息设施系统、信息化应用系统、建筑设备管理系统、公共安全系统、交通管理系统和能耗监控系统等子系统。地下空间管理宜建立统一的系统平台将各子系统联接，实现协同运作、一体化智能管理。

7.1.3 建筑智能系统应根据拟建项目的功能定位和实际需要，按照现行国家标准《智能建筑设计标准》GB/T 50314 的有关规定综合确定。

7.2 智能管理子系统的内容及要求

7.2.1 通信网络系统应包括电话通信系统、无线通讯系统、视频显示系统、指挥通讯系统、有线广播系统、互联网宽带通信、虚拟专用网络和电子商务系统等。

7.2.2 有线电视系统应由信号源、前端设备、传输干线和用户分配网络等组成。有线电视终端用户应根据项目使用要求确定，具体指标应按现行国家标准《有线电视系统工程技术规范》GB 50200 的有关规定执行。

7.2.3 公共广播系统的广播分区应按消防分区划分，平时可播放欣赏性音乐或背景音乐、通知等，当发生火灾或其他突发事故时，所有广播都会被中断并自动接通紧急广播。各分区扬声器数量、型号、功率、分布和功率放大器的型号及数量可按国家现行标准《安全防范报警设备 安全要求和试验方法》GB 16796、《火灾自动报警系统设计规范》GB 50116 及《入侵报警系统技术要求》GA/T 368 的有关规定确定。

7.2.4 信息导引及发布系统各播放终端应通过专网与播放主机联网，用于发布有关的公共信息、服务指南、交通信息、商品信息、商业广告等。

7.2.5 火灾报警控制系统应具有接受火灾报警，及时发出火灾信号及安全疏散指令，控制相关消防设备联动显示电源运行情况等功能。宜设置主控屏、计算机、图形显示器、对讲电话总机、消防广播主机和总控制台，并应符合下列规定：

1 总控制台可用于对消火栓水泵、喷淋泵、排烟风机和加压风机等重要消防设备进行直接控制；

2 主控屏的各个回路应连接各幢建筑物内的感烟、感温探测器、控制模块、开关量接口模块和总线式手动报警按钮等；

3 防烟防火阀、排烟阀、加压送风口、水流指示器、压力报警阀、安全信号阀、消火栓按钮等电接点动作信号均可接至联动控制模块和开关量接口模块，在主控屏上开关信号均具有不同的独立地址，参与消防设备的联动控制。

7.2.6 地下停车库管理系统应对地下空间各停车场出入口进行联机监控，对车辆出入、诱导、车库泊位、安全情况、计时、收费等进行自动有序管理。

7.2.7 公共安全防范系统宜包括视频安防监控系统、入侵报警系统、电子巡更系统、出入口控制（门禁）系统和停车管理系统等，并应根据项目的使用功能，按现行国家标准《民用闭路监视电视系统工程技术规范》GB 50198 的有关规定进行设计。

7.2.8 视频安防监控系统应采用数模结合的方式进行视频安防监控，图像的摄像、传输、切换、监视均采用模拟信号，录像采用数字硬盘录像。在各主要出入口、公共活动场所、购物中心、楼梯间、电梯间、汽车库、主要通道等易产生安全隐患和重要部位应配置摄像头进行视频安防监控。

7.2.9 入侵报警系统宜由前端报警传感器、报警主机、主机扩展模块、以及入侵管理主机、报警软件等部分组成。入侵报警系统可独立运行，有紧急情况发生时，报警信号传至报警主机，在电子地图上显示报警的具体位置，并可用手动、自动操作，以有线和无线方式报警。系统也可与视频安防监控系统、出入口控制系统等联动。

7.2.10 电子巡更系统应分在线式和非在线式，宜由巡查器、巡查点感应器、巡查管理服务器及管理软件等组成；巡查点宜设在各主要出入口、走廊、楼梯间、地下车库及有关重要场所等处。

7.2.11 设备管理系统和控制管理系统应包括空调设备监控系统、供排水设备监控系统、电梯监视系统、电力设备监视系统、照明监控系统、动力设备监视系统和楼宇集成管理系统等。

7.2.12 综合布线系统应能支持电话、数据、图文、图象等多媒体业务的需要。综合布线系统主要由工作区、配线子系统、干线子系统、设备间、管理子系统组成。并应根据不同专业特点来确定水平和骨干布线系统的类型，注意各专业间的密切配合，合理确定综合布线系统。具体可按照现行国家标准《综合布线系统工程设计规范》GB 50311 的有关规定执行。

7.2.13 物业管理系统应包括人事管理子系统、房产信息管理、客户信息管理、租赁管理、租赁合同管理、收费管理、工程设备管理、客户服务管理、保安消防管理、保洁环卫管理、采购库存管理、能耗管理、资产管理、集团办公管理、合同管理、决策支持系统维护管理系统和其他接口系统。

7.2.14 公共信息服务系统应具备统一的用户使用方法、统一的用户签约方式、统一的数据管理、安全的数据接口、便捷的系统搭建方法、统一灵活接口调用功能。

7.2.15 智能卡应用系统应包括智能卡、智能卡接口设备（智能卡读写器)、个人计算机、通信网络和主计算机等。

7.2.16 信息网络安全系统应具备实体可信、行为可控、资源可管、事件可查、运行可靠的措施。

7.2.17 应急联动指挥系统应以综合通信为纽带(计算机网络、有线通信网、无线通信网以及它们之间的互联),以联合指挥为核心,以接处警为重点,集信息获取、信息传输、信息利用、信息发布于一体,并借助各种辅助系统进行决策。

7.2.18 能耗监控系统应以计算机、通讯设备、测控单元为基本工具,建立地下空间建筑的实时数据采集、开关状态监控机远程管理与控制平台。

7.3 监控系统的布设及要求

7.3.1 城市地下空间监控系统应包括前端监视设备、传输设备、中心控制显示设备和分控制显示设备。

7.3.2 布设控制显示设备的监控中心应能承担联系、协调、控制和管理其他系统的工作。其设置与配置应符合下列规定:

1 监控中心宜设置在城市地下空间相对中心的位置,可与地下空间总变电所合建;

2 监控中心应设有监控计算机、火灾报警控制计算机、视频监视器、网络交换机、电话交换设备以及打印机等,同时还应设大型显示屏,以实时显示各系统的相关信息和报警情况;

3 监控计算机通过宽带接入的以太环网接收由前端监视设备采集的数据,彩色显示器上显示地下空间内各设备的状态、仪表检测数据和照明系统的实时数据并报警,并应能向现场电气控制设备发出控制命令、启停现场附属设备,生成和打印各类运行管理报表;

4 火灾报警控制计算机连接火灾报警控制器,采集火警信号,以及通过火灾报警控制器处理平时通风设备的启停;

5 显示屏显示城市地下空间内各防火分区的位置和建筑模

拟图，防火分区排水泵状态、通风装置状态、照明设备状态、配电设备状态、环境检测仪表参数，以及非法入侵等各种报警信号等。

7.3.3 城市地下空间监控系统网络结构及现场电气控制设备设置应符合下列规定：

1 由两台监控计算机及其外围设备、以太网络集线器，在监控中心组成第一层的计算机系统；

2 由两台监控计算机、地下空间内现场主环网工业交换机，在监控中心和地下空间之间组成第二层光纤快速以太网主干环网；

3 由环网工业交换机、现场电气控制设备在地下空间内组成第三层总线网络；

4 根据地下空间分布情况，每隔2个防火分区宜设置一个电气控制设备就地控制站。

7.3.4 城市地下空间火灾自动报警监控系统应符合下列规定：

1 监控中心应设置火灾报警控制主机，火灾自动报警监控系统应根据地下空间特点设置；

2 城市地下空间应设置火灾探测器，沿线布置防潮式感烟探测器；电力电缆管仓应设置光纤光栅火灾报警器和现场报警按钮；上位机和报警控制单元设在监控中心；

3 在总变电所以及各分变电所，设置温差式感温和烟感器，同时配合设置现场报警按钮；在各变电所设置区域报警控制器；

4 火灾报警控制主机通过光纤网络与各变电所区域报警控制器连接，构成分布式火灾报警控制系统；

5 每个防火分区紧急出口处设置一套手动火灾报警按钮；

6 当探测到火灾发生时，控制中心消防联动控制柜和城市地下空间内相应分区的警铃同时启动，亦可通过按下手动火灾报警按钮启动警铃；

7 火灾报警控制主机接受来自区域报警控制器和光缆感温火灾探测报警系统的报警信息，在城市地下空间监控中心进行集中监视，也可以连接背投式大型显示屏进行显示；

8 当火警发生后，火灾报警控制主机可自动或通过人工确认，进入火灾处理程序。

7.3.5 城市地下空间应安装安全保卫闭路电视系统，并应符合下列规定：

1 在一般出入口均应设置对射式红外线探测装置；

2 在人员进出口、材料搬入口、管线进出口等主要出入口和无人值守的变电所，应装设数字式电视摄像机或摄像头。

7.3.6 城市地下空间内仪表及机电设备监控系统应符合下列规定：

1 应设有红外线入侵报警装置，以及采集测量仪表的信号，设置分布式的可编程逻辑控制器监控系统。

2 每隔2个防火分区设置一个可编程逻辑控制器就地控制站。

3 主要采集和控制参量应包括下列内容：

1）各区段的温度、湿度、氧气浓度；

2）各区段的集水坑水位；

3）各区段的照明、通风、排水泵等机电设备状态；

4）各出入口的防入侵报警状态；

5）各变电所的高低压配电设备状态及电量参数。

4 主要控制功能应满足下列要求：

1）根据需要或火警命令远程启动指定区域的照明设备；

2）根据沟内温度、湿度、氧气浓度等报警值自动启动通风设备；

3）根据集水坑水位启动潜水泵。

5 机电设备宜采用就地手动控制模式、远程手动控制模式和自动控制模式。在设备就地控制箱上应设有就地和远程控制转换开关。

6 根据防火分区设置情况，在每个防火分区的中间区段应分别设置一台温度检测仪，一台湿度检测仪，一台氧浓度检测仪，信号通过现场总线模块送至就近的可编程逻辑控制器就地控制站。

7.3.7 城市地下空间监控中心应设置一部自动电话交换机，在每一个防火分区出入口应设一个电话插座，不安装电话机，工作人员进入时可根据需要随身带入接通使用。

7.3.8 城市地下空间燃气管道监控系统应符合下列规定：

1 地下空间如果纳入了燃气管道或输油管道，除采取单室布置的措施外，应增加相应的燃气浓度自动探测设备；

2 浓度自动探测设备应每隔50m设置一个，除应向监控中心报知异常情况外，尚应与通风设备和火灾报警系统配合。当煤气浓度超标时，可自动打开（启动）通风换气设备，有火花出现时，应启动灭火装置。

7.3.9 城市地下空间内每一个集水井内应设一个水位自动探测设备，当水位超过集水井设计有效容积对应的水位时，自动探测设备自动向监控中心报知水位异常的信息，并应和潜水泵联动，自动开启潜水泵，在短时间内排出集水井内的积水。

7.3.10 城市地下空间内应配备有线与无线两套通讯设备系统。有线广播设备系统应包括一般区域性广播系统与紧急全区广播系统，播音室应设于中央监控中心。

8 应 急 管 理

8.1 一 般 规 定

8.1.1 城市地下空间应急管理应遵循分级分区实施、快速反应、统一指挥、分级负责、属地为主、分工协作、应急处置与日常建设相结合、单位自救与专业应急救援相结合的原则。

8.1.2 城市地下空间灾害预警宜根据灾害严重程度分为预警四级、预警三级、预警二级、预警一级 4 个级别，对应颜色分别为蓝、黄、橙、红。当红色预警启动时，严禁使用地下空间。

8.1.3 城市地下空间运营管理组织机构应建立由单位主要负责人、分管安全生产的负责人、有关部门参加的地下空间事故灾难应急机构，并应设立地下空间运营监察员，负责监测城市地下空间的规章制度、强制性标准、设施设备及安全运营管理。

8.2 应 急 预 案

8.2.1 城市地下空间运营管理组织机构应根据地下空间特点，按照国家突发公共事件总体应急议案等有关规定编制城市地下空间运营应急预案，并做好应急预案备案。

8.2.2 城市地下空间运营应急预案应包括综合应急预案、专项应急预案和现场处置方案。

8.2.3 综合应急预案应包括下列内容：

1 地下空间运营管理组织机构应急组织体系、指挥机构与职责；

2 应急响应基本原则；

3 应急管理和信息报告程序；

4 应急预警及响应分级、响应程序和处置措施；

5 应急预警发布与解除；

6 应急组织保障、督查考核和社会监督。

8.2.4 专项应急预案应包括下列内容：

1 地下空间运营阶段危险源识别、运营安全事故类型及危险程度分析；

2 地下空间危险源监测的方式方法，以及采取的预防、管理和应急处置措施；

3 具体事故预警的条件、方式、方法和信息的发布程序；

4 应急处置所需的物质与装备的数量、管理、维护和正确使用。

8.2.5 现场处置方案应包括下列内容：

1 地下空间运营阶段具体设备设施应急处置措施；

2 地下空间运营阶段具体事件应急处置措施；

3 地下空间运营阶段具体灾害应急处置措施。

8.3 应急响应

8.3.1 应急响应级别宜按地下空间事故灾难的可控性、严重程度和影响范围分为Ⅰ、Ⅱ、Ⅲ、Ⅳ级响应，并应符合下列规定：

1 Ⅰ级响应：造成30人以上死亡（含失踪），或危及30人以上生命安全，或者100人以上中毒（重伤），或者直接经济损失1亿元以上的特别重大事故；需要紧急转移安置10万人以上的事故；

2 Ⅱ级响应：造成10人以上、30人以下死亡（含失踪），或危及10人以上、30人以下生命安全，或者50人以上、100人以下中毒（重伤），或者直接经济损失5000万元以上、1亿元以下的事故；

3 Ⅲ级响应：造成3人以上、10人以下死亡（含失踪），或危及10人以上、30人以下生产安全，或者30人以上、50人以下中毒（重伤），或者直接经济损失较大的事故灾难；遭遇20年一遇暴雨；空气质量指标超标10倍以上；

4 Ⅳ级响应：发生或者可能发生一般事故；遭遇10年一遇暴

雨;空气质量指标超标5倍以上。

8.3.2 城市地下空间火灾应急响应应符合下列规定:

1 火灾发生后,地下空间运营管理组织机构应立即向"119"、"110"报告,并立即组织启动火灾专项应急预案,组织做好乘客的疏散、救护工作,积极开展灭火自救工作;

2 应贯彻"救人第一,救人与灭火同步进行"的原则,积极施救;

3 处置火灾事件应坚持快速反应的原则,做到反应快、报告快、处置快,把握起火初期的关键时间,把损失控制在最低程度。

8.3.3 城市地下空间地震应急响应应符合下列规定:

1 发布破坏性地震预报后,即进入临震应急状态。地下空间运营管理组织机构应立即组织启动地震专项应急预案,采取相应措施;

2 地震灾害紧急处理应遵循统一指挥,先救人、后救物,先抢救通信、供电等要害部位,后抢救一般设施的原则;

3 应根据震情发展和地下空间设施情况,发布避震通知,必要时停止运营;

4 地下空间运营管理组织机构应及时将灾情上报有关部门,同时做好人员疏散和设备、设施保护工作。

8.3.4 城市地下空间爆炸应急响应应符合下列规定:

1 城市地下空间爆炸案件一旦发生,地下空间运营管理组织机构应立即报告当地公安部门、消防部门、卫生部门,启动相应应急预案,组织开展调查处理和应急工作;

2 应迅速反应,及时报告,密切配合,全力以赴疏散乘客、排除险情,尽快恢复运营;

3 地下空间内发现的爆炸物品、可疑物品应由专业人员进行排除,任何非专业人员不得随意触动。

8.3.5 城市地下空间大面积停电应急响应应符合下列规定:

1 地下空间运营管理组织机构接到停电报告后,应立即组织启动相应应急预案；

2 停电事件发生后，地下空间运营管理组织机构要做好信息发布工作，做好紧急疏散、安抚工作，及治安防护工作；

3 供电部门在事故灾难发生后，应根据事故灾难性质、特点，立即实施事故灾难抢修、抢险有关预案，尽快恢复供电。

8.3.6 城市地下空间空气质量异常应急响应应符合下列规定：

1 地下空间运营管理组织机构接到空气质量异常报告后，应立即组织启动相应应急预案；

2 地下空间空气质量发生异常后，地下空间运营管理组织机构要做好信息发布工作，做好紧急疏散、安抚及治安防护工作；

3 地下空间运营管理组织机构应根据事故灾难性质、特点，立即组织有关单位实施事故灾难抢修、抢险有关预案。

8.3.7 城市地下空间地下水异常应急响应措施应符合下列规定：

1 地下空间运营管理组织机构接到地下水位异常报告后，应立即组织启动相应应急预案；

2 遭遇暴雨后，地下空间运营管理组织机构要做好信息发布工作，做好紧急疏散、安抚及治安防护工作；

3 地下空间运营管理组织机构应根据暴雨性质、特点，及时组织有关单位启动抢修、抢险等有关预案。

8.3.8 应急情况报告应坚持快捷、准确、直报、续报的基本原则，地下空间运营管理组织机构事故报告时间最迟不能超过1h。报告内容要真实，不得瞒报、虚报、漏报；在事故灾难应急处理期内，要连续上报事故灾难应急处置的进展情况及有关内容。

8.3.9 特别重大事故灾难快报及续报应包括下列内容：

1 事件单位的名称、负责人、联系电话及地址；

2 事件发生的时间、地点及简要经过；

3 事件造成的危害程度、影响范围、伤亡人数、直接经济损失；

4 其他需上报的有关事项。

8.3.10 报告程序应符合下列规定：

1 地下空间事故灾难发生后，现场人员必须立即报警，并报告地下空间运营管理组织机构应急机构。有关部门接到报告后，应迅速确认事故灾难性质和等级，立即启动相应的预案，并向上级地下空间应急机构报告。

2 特别重大事故灾难发生后，地下空间运营管理组织机构应做好下列工作：

1）迅速采取有效措施，组织抢救，防止事故灾难扩大；

2）严格保护事故灾难现场；

3）迅速派人赶赴事故灾难现场，负责维护现场秩序和证据收集工作；

4）服从地方政府统一部署和指挥，了解掌握事故灾难情况，协调组织事件抢险救灾和调查处理等事宜，并及时报告事态趋势及状况。

3 因抢救人员、防止事故灾难扩大、恢复生产以及疏通交通等原因，需要移动现场物件的，应当做好标志，采取拍照、摄像、绘图等方法详细记录事故灾难现场的原貌，妥善保存现场重要痕迹、物证。

4 发生特别重大事故灾难后，地下空间运营管理组织机构应在事故灾难发生后4h内写出事故灾难快报，分别报送国家、省市地下空间事故灾难应急机构。

8.3.11 事故灾难发生后，地下空间运营管理组织机构应立即启动应急预案，并按应急预案迅速采取措施，使事故灾难损失降到最低。出现急剧恶化的特殊险情时，现场应急指挥机构应在充分考虑专家和有关方面意见的基础上，及时制定应急处置方案，依法采取紧急处置措施。

8.3.12 现场处置人员应根据需要佩带相应的专业防护装备，采取安全防护措施，严格执行应急人员进入和离开事故灾难现场的相关规定。现场应急机构应根据需要具体协调、调集相应的安全防护装备。

8.3.13 现场应急机构应负责组织群众的安全防护，并完成下列主要工作：

1 根据事故灾难的特点，确定保护群众安全需要采取的防护措施；

2 决定紧急状态下群众疏散、转移和安置的方式、范围、路线和程序，指定有关部门具体负责实施疏散、转移和安置；

3 启用应急避难场所；

4 维护事发现场的治安秩序。

8.3.14 根据需要，现场应急机构可成立事故灾难现场检测与评估小组，负责检测、分析和评估工作，查找事故灾难的原因和评估事态的发展趋势，预测事故灾难的后果，为现场应急决策提供参考。检测与评估报告应及时上报领导小组办公室。

8.3.15 城市地下空间事故灾难应急信息发布应明确事件的地点、事件的性质、人员伤亡和财产损失情况、救援进展情况、事件区域交通管制情况以及临时交通措施等。

8.3.16 大型综合性城市地下空间宜建立基于网络技术的智能化应急响应系统。

8.4 后期处置

8.4.1 城市地下空间事故灾难的善后处置工作应包括治安管理、人员安置、补偿、征用物资补偿、救援物资供应和及时补充、恢复生产等事项。

8.4.2 地下空间运营管理组织机构应采取措施，尽快消除事故灾难影响，妥善安置和慰问受害及受影响人员，保证社会稳定，尽快恢复地下空间正常运营秩序。

8.4.3 应急状态解除后，现场地下空间事故灾难应急机构应整理和审查所有的应急记录和文件等资料；总结和评价导致应急状态的事故灾难原因和在应急期间采取的主要行动；必要时，修订城市地下空间应急预案，并及时作出书面报告。

8.4.4 应急状态终止后的两个月内，现场地下空间事故灾难应急机构应向领导小组提交书面总结报告。总结报告应包括发生事故灾难的地下空间基本情况，事故灾难原因、发展过程及造成的后果分析、评价，采取的主要应急响应措施及其有效性，主要经验教训和事故灾难责任人及其处理结果等内容。

8.5 保障措施

8.5.1 通信与信息保障应符合下列规定：

1 应指定专门场所并建设相应的设施满足进行决策、指挥和对外应急联络的需要；

2 逐步建立并完善地下空间安全信息库、救援力量和资源信息库，规范信息获取、分析、发布、报送格式和程序，保证信息资源共享；

3 明确联系人、联系方式，保证应急响应期间通信联络的需要；

4 能够接收、显示和传达地下空间事故灾难信息，为应急决策和专家咨询提供依据；能够接收、传递省级、市级地下空间应急机构应急响应的有关信息；能够为地下空间事故灾难应急指挥、与有关部门的信息传输提供条件。

8.5.2 地下空间运营管理组织机构应设置应急保障机构，为应急管理提供技术支持和保障。

8.5.3 地下空间运营管理组织机构应制定应急管理监督机制，对应急预案实施全过程进行监督。

8.5.4 参与地下空间应急管理的人员均应接受应急管理相关理论和实践的培训。

8.5.5 城市地下空间应急机构应每年组织不少于一次的应急演习。

附录A 装修/装饰材料进场验收记录表

表A 装修/装饰材料进场验收记录表

材料类别	品种	使用部位及数量	进场材料燃烧性能	设计要求燃烧性能	检验报告	合格证书	核查人员
纺织织物							
木质材料							
高分子合成材料							
复合材料							
其他材料							
验收单位	施工单位:(单位印章)				施工单位项目负责人:(签章) 年 月 日		
	监理单位:(单位印章)				监理工程师:(签章) 年 月 日		

附录B　地质雷达法

B.0.1　地质雷达法应沿地下结构的纵向共布置5条测线。拱顶应布置1条、拱腰应布置2条(两侧各1条)、起拱线应布置1条、边墙应布置1条(水沟盖板以上1.2m)(图B.0.1)。

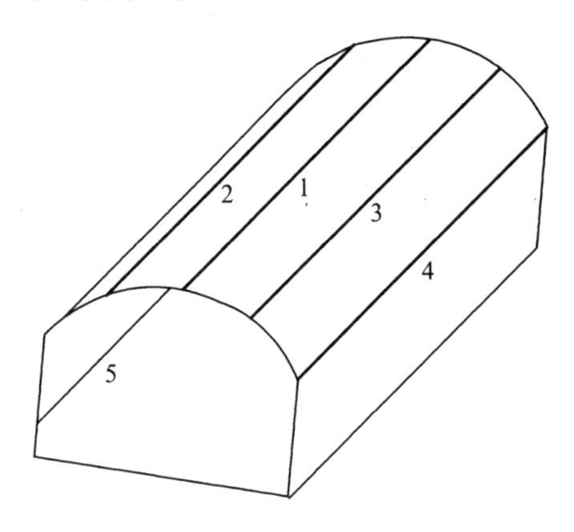

图B.0.1　地质雷达测线布置示意图

1—拱顶测线;2—拱腰测线;3—拱腰测线;4—起拱线测线;5—边墙测线

B.0.2　测量方法可采用剖面法,发射天线(T)和接受天线(R)宜以固定间距沿测线同步移动的测量方式,结果宜用地质雷达时间剖面图象表示。

B.0.3　原始数据处理前应回放检验,数据记录应完整、信号清晰,里程标记准确。不合格的原始数据不得进行处理与解释。

B.0.4　数据处理应确保位置标记准确、无误;确保信号不失真,有利于提高信噪比。

B.0.5　根据现场记录,分析可能存在的干扰体位置与雷达记录中异常的关系,准确区分有效异常与干扰异常;准确读取双程旅行时间的数据。

B.0.6 衬砌厚度可按下式进行计算。

$$d = \frac{0.3t}{2\sqrt{\varepsilon_r}} \text{ 或 } d = \frac{1}{2}\upsilon t 10^{-9} \qquad (B.0.6)$$

式中：d——衬砌厚度(m)；

ε_r——相对介电常数；

t——双程旅行时间(ns)；

υ——电磁波速(m/s)。

B.0.7 衬砌背后回填密实度的判定应符合下列规定：

1 当信号幅度较弱，甚至没有界面反射信号时，判定为密实；

2 当衬砌界面的强反射信号同相轴呈绕射弧形，且不连续、较分散时，判定为不密实；

3 当衬砌界面反射信号强，三振相明显，在其下部仍有强反射界面信号，两组信号时程差较大时，判定为空洞。

B.0.8 衬砌内部钢架、钢筋位置分布的判定应符合下列规定：

1 当测得分散的月牙形强反射信号时，判定为钢架；

2 当测得连续的小双曲线形强反射信号时，判定为钢筋。

附录C 声 波 法

C.0.1 声波法应包括直达波法和反射波法，并根据不同的检测目的选用。直达波法适用于检测地下空间衬砌表层混凝土质量，判定浅部的典型缺陷；反射波法适用于检测地下空间衬砌混凝土厚度、内部缺陷等。

C.0.2 沿地下空间通道每 8m～12m 应布置一个测试断面。无仰拱的地下空间通道，每个断面布置 5 个测点（拱顶、左右拱腰和左右边墙各一个）；有仰拱的地下空间通道，应在地下空间通道底部增加 1 个～3 个测点。

C.0.3 检测点的混凝土表面应平整、清洁。换能器、传感器应通过耦合剂与混凝土表面保持紧密结合，耦合层不得夹泥砂或空气。

C.0.4 数据采集前应通过试验选择最佳的激发、接收距离及仪器工作参数，设置里程、采样速度、记录长度、触发电平、负延时数等参数。

C.0.5 采用直达波法时，应以测点位置为中心安装发射换能器和接收传感器并使其耦合良好。发射换能器与接受传感器之间距离误差不得大于 0.5%。测试直达波并保存到磁盘文件，重复测试 3 次。

C.0.6 采用发射波法时，应以测点位置为中心点在隧道衬砌表面安装 2 个接收传感器，并通过电荷放大器接至声波仪的 1、2 通道。各传感器与衬砌混凝土表面之间应耦合良好。两传感器间距宜为 0.5m～1.0m。两传感器之间距离误差不得大于 0.5%。在两传感器延长线上距离 1 通道传感器 50mm 处激发声波，测试并确认得到清晰的直达波及反射波信号，保存到磁盘文件，重复测试 3 次。

C.0.7 衬砌混凝土的强度等级应根据衬砌混凝土强度与纵波速度关系推定。

C.0.8 衬砌混凝土浅部缺陷的判定应符合下列规定：

1 测得的直达波形态无明显异常但速度明显偏低，判定为低强度混凝土；

2 测得的直达波形态畸变且速度偏低，判定为充填低速异物；

3 测得的直达波形态畸变且速度明显偏高，判定为充填高速异物。

C.0.9 反射波路径中的缺陷判定应符合下列规定：

1 测得的反射波能量相对较强，且与直达波同相，甚至出现多次反射时，判定为衬砌与围岩接触不密实；

2 测得的直达波速度正常，只有一个反射界面，且界面深度较设计值低时，判定为衬砌厚度不足；

3 测得的直达波速度正常，与衬砌厚度对应的发射界面存在其他不规则的反射信号，判定为衬砌内部有充填物；

4 测得的直达波速度正常，发射波能量强且与首波同相位或裂纹很浅时直达波出现异变甚至出现半波缺失时，判定为隐伏裂纹、间隙。

附录D　激光断面仪法

D.0.1　激光断面仪法检测时，应用全站仪或经纬仪放出地下空间中线，在要检测的断面处设基准点，测出标高和里程，并在相应边墙上标出要检测断面里程。

D.0.2　现场检测时应将激光断面仪放在选定里程的中心桩处，按照与轴线垂直的方向测量断面轮廓数据资料。

D.0.3　激光断面仪法检测参数应符合下列规定：

1　检测横断面间距在直线地段宜为50m，曲线地段宜为20m，在每幅至少设置一个检测断面；

2　待测断面起始角度宜在30°～320°范围内；

3　待测断面终止角度宜在40°～330°范围内，以竖直向下方向为0°，且应大于起始角度；

4　在起始角度和终止角度之间测量的点数不应小于40个；且临近测点的间距不大于2mm。

D.0.4　断面检测时的计算仪器高度应按下式进行计算：

$$h_2 = h_1 - (H_2 - H_1) \quad \text{(D.0.4)}$$

式中：h_1——计算仪器高度；

h_2——实际仪器高度；

H_1——断面中线点的的设计高程；

H_2——断面中线点的实测高程。

D.0.5　激光断面仪法检测应在检测断面的顶部、两腰部及两边墙部位分别取3个点，取各测点平均值进行计算。

D.0.6　激光断面仪法检测应符合下列规定：

1　应记录检测时的环境温度、气压、粉尘烟雾条件等相关情况；

2　应清除或移去待检测隧道断面上的障碍物，当被测地面有积水时，宜将水排干后用白纸覆盖；

3　标志点宜以红色油漆标注，若红色油漆点较大，且正好在激光的中心位置处，宜在该点处盖上一张白纸再进行检测；

4　检测断面上特殊点应进行单点检测；

5　当某桩号断面因特殊情况不便测量时，可将断面前移或后退。

D.0.7　激光断面仪法现场检测时，应做好下列记录资料：

1　应记录改动的断面里程；

2　样点碰到隧道壁上的电线或风管，使检测到的尺寸比标准断面小，影响测量结果，应记录落在电线或风管上的点数；

3　隧道中有车辆通行，激光束落在车辆上，应记录落在车辆上的点数；

4　当检测断面存在预留的检修孔或洞时，应记录落在检修孔或洞的点数；

5　当检测断面存在其他不便移去的其他障碍物，应记录落在检障碍物上的点数；

6　隧道激光断面仪位置不在标准隧道断面中心，应测量并记录两者在沿隧道轴线和垂直隧道轴线的距离；

7　当隧道处于纵坡上时应对设计断面进行纵坡修正。修正时只修正设计断面参数纵坐标。

D.0.8　激光断面仪法检测应根据地下空间纵断面图、各检测断面的围岩类别、设计断面图、各检测断面中线桩的里程、设计标高、实测标高、水平偏移量（当在中线上无法设桩时），处理检测数据。

附录E 既有地下建筑材料强度的确定

E.0.1 检测既有地下建筑中材料的强度时，除应按该类材料现行检测标准的要求选择适用的检测方法外，尚应符合下列规定：

1 受检构件应随机地选自同一批构件；

2 在受检构件上选择的检测强度部位不应影响该构件承载。

E.0.2 按检测结果确定构件材料强度的标准值应符合下列规定：

1 当受检构件数量仅为2～4个，且检测结果仅用于鉴定这些构件时，允许取受检构件强度推定值中的最低值作为材料强度标准值；

2 当受检构件数量不少于5个，且检测结果用于鉴定一种构件时，应按下式确定其强度标准值f_k：

$$f_k = m_f - k \cdot s \quad (E.0.2)$$

式中：m_f——按受检构件数量n算得的材料强度平均值；

k——材料标准强度计算系数，可由表E.0.2查得；

s——按受检构件数量算得的材料强度标准差。

表E.0.2 计算系数k值

n	k值			n	k值		
	$C=0.9$	$C=0.75$	$C=0.6$		$C=0.9$	$C=0.75$	$C=0.6$
5	3.400	2.463	2.005	18	2.249	1.951	1.773
6	3.092	2.336	1.947	20	2.208	1.933	1.764
7	2.894	2.250	1.908	25	2.132	1.895	1.748
8	2.754	2.190	1.880	30	2.080	1.869	1.736
9	2.650	2.141	1.858	35	2.041	1.849	1.728
10	2.568	2.103	1.841	40	2.010	1.834	1.721

续表 E.0.2

n	k 值			n	k 值		
	$C=0.9$	$C=0.75$	$C=0.6$		$C=0.9$	$C=0.75$	$C=0.6$
12	2.448	2.008	1.816	45	1.986	1.821	1.716
15	2.329	1.991	1.790	50	1.965	1.811	1.712

注：表中 α 为确定材料强度标准值所取的概率分布下分位数，可取 $\alpha=0.05$；C 为检测所取得置信水平，对钢材取 $C=0.9$，对混凝土和木材取 $C=0.75$，对砌体取 $C=0.6$。

E.0.3 当按全部受检构件的材料强度标准差算得的变异系数，钢材大于0.10，混凝土、砌体和木材大于0.20时，不宜直接按本标准式(E.0.2)计算构件材料的强度标准值。当受检构件属于不同批的样本时，宜分批进行统计，并分别按本标准式(E.0.2)确定其强度标准值。

本标准用词说明

1 为便于在执行本标准条文时区别对待，对要求严格程度不同的用词说明如下：

1） 表示很严格，非这样做不可的：
正面词采用"必须"，反面词采用"严禁"；

2） 表示严格，在正常情况下均应这样做的：
正面词采用"应"，反面词采用"不应"或"不得"；

3） 表示允许稍有选择，在条件许可时首先应这样做的：
正面词采用"宜"，反面词采用"不宜"；

4） 表示有选择，在一定条件下可以这样做的，采用"可"。

2 条文中指明应按其他有关标准执行的写法为："应符合……的规定"或"应按……执行"。

引用标准名录

《建筑设计防火规范》GB 50016
《普通混凝土力学性能试验方法标准》GB/T 50081
《自动喷水灭火系统设计规范》GB 50084
《火灾自动报警系统设计规范》GB 50116
《泡沫灭火系统设计规范》GB 50151
《民用闭路监视电视系统工程技术规范》GB 50198
《有线电视系统工程技术规范》GB 50200
《混凝土结构工程施工质量验收规范》GB 50204
《自动喷水灭火系统施工及验收规范》GB 50261
《民用建筑可靠性鉴定标准》GB 50292
《综合布线系统工程设计规范》GB 50311
《智能建筑设计标准》GB/T 50314
《民用建筑工程室内空气环境污染控制规范》GB 50325
《建筑结构检测技术标准》GB/T 50344
《气体灭火系统设计规范》GB 50370
《建筑材料及制品燃烧性能分级》GB 8624
《电磁环境控制限值》GB 8702
《建筑构件耐火试验方法》GB/T 9978
《城市区域环境振动标准》GB 10070
《城市区域环境振动测量方法》GB/T 10071
《工业企业厂界环境噪声排放标准》GB 12348
《建筑施工场界环境噪声排放标准》GB 12523
《安全防范报警设备　安全要求和试验方法》GB 16796
《阻燃和耐火电线电缆通则》GB/T 19666

《社会生活环境噪声排放标准》GB 22337

《电缆防火涂料》GB 28374

《建筑变形测量规范》JGJ 8

《回弹法检测混凝土抗压强度技术规程》JGJ/T 23

《污水排入城镇下水道水质标准》CJ 343

《灭火器维修与报废》GA 95

《入侵报警系统技术要求》GA/T 368

《建筑消防设施检测技术规程》GA 503

《辐射环境保护管理导则　电磁辐射监测仪器和方法》HJ/T 10.2

《辐射环境监测技术规范》HJ/T 61

《地表水和污水监测技术规范》HJ/T 91

《固定污染源监测质量保证与质量控制技术规范》HJ/T 373

《固定源废气监测技术规范》HJ/T 397

《钻芯法检测混凝土强度技术规程》CECS 03

《超声法检测混凝土缺陷技术规程》CECS 21

《拔出法检测混凝土强度技术规程》CECS 69

中国工程建设协会标准

城市地下空间运营管理标准

CECS 402：2015

条 文 说 明

目　次

1 总　　则

1.0.1 随着城市地下空间的开发利用，其后期的综合运营管理逐渐受到重视。地下空间的运营管理，是指依据一定的技术、手段，对地下空间各类资源进行流动与重组，实现地下空间资源的优化配置，以实现地下空间效用最大化，满足社会和公共需要的最终目的的行为。

1.0.2 地下空间运营管理过程中可参照使用的标准有：《城市轨道交通运营管理规范》GB/T 30012、《人民防空地下室设计规范》GB 50038、《人民防空工程设计防火规范》GB 50098、《人民防空工程设计规范》GB 50225、《铁路隧道设计规范》TB 10003、《公路隧道设计规范》JTG D70、《地下工程防水技术规范》GB 50108、《地下建筑照明设计标准》CECS 45、《建筑地基基础设计规范》GB 50007、《建筑抗震设计规范》GB 50011、《建筑设计防火规范》GB 50016、《采暖通风与空气调节设计规范》GB 50019、《水利水电工程物探规程》SL 326 和《锚杆喷射混凝土支护技术规范》GB 50086 等。

1.0.3 我国地下空间的开发利用经历了从初期的人防工事建设到近年来的大规模商业化开发的发展历程，地下空间的开发利用具有工程复杂、牵涉面广、协调程度高等特点且具有不可逆性，一旦形成将影响深远，因此需要对它进行全盘考虑、慎重决策、严格审查。

1.0.4 我国地下空间利用的现有相关法律法规国家级及省部级的主要有：1996 年 10 月 29 日第八届全国人民代表大会常务委员会通过的《中华人民共和国防空法》，该法对城市地下空间的使用作了概括性规定。1997 年 10 月 27 日建设部发布的《城市地下空间开发利用管理条例》(2001 年 11 月 2 日修改),对城市地下空间开发利用的主管部门、规划、工程建设、工程管理和罚则等进行了规范。地方性的主要有:深圳市的《城市地下空间利用发展规划》、《城市地下空间使用条例》和《城市规划标准和准则》,上海市的《上海地下空间概念规划》和《上海市城市地下空间建设用地审批和房地产登记试行规定》。

3 基本规定

3.1 一般规定

3.1.2 地下空间运营阶段遇到的管理问题主要体现在正常运营管理和应急管理两大方面。

3.1.3 地下空间的日常管理内容包括环境质量控制、建筑消防、结构健康监测和智能管理等内容，环境噪声、振动、废水、废气和电磁辐射等对地下空间的使用影响突出；地下空间防火性能、消防电气系统和消防给水与灭火系统，是确保地下空间安全运营的重要保障；在经历地震、火灾、爆炸等灾害和异常事故后，地下空间进行事故处理的难度大，成本高。因此，在地下空间日常管理过程中，应建立健全的监测系统，通过完善智能管理系统，确保地下空间的环境质量、建筑消防或结构健康状态指标满足要求。

3.1.4 应急管理是地下空间运行管理过程中应对灾害的有效手段，当发现地下空间环境质量、建筑消防或结构健康状态指标超过国家现行有关标准限值时，地下空间运营管理组织机构应立即启动应急管理。

3.2 日常管理

3.2.1～3.2.6 地下空间运营过程的相关责任主体涉及运营管理组织机构、使用单位和毗邻地下空间工程建设单位等，需明确各相关主体的责任和义务。

3.2.7～3.2.9 检测工作是城市地下空间运营管理的重要环节，是防止突发事件发生，提高经济效益的重要手段。检测资料主要包括监测方案、监测数据、监测报表、监测报告、监测工作联系单、监测会议纪要。采用专用的表格记录数据，保留原始资料，并按要求签字、计算、复核。固定观测人员、路线和观测方式。首次进行观测，取2～3次平均值作为初始值。检测过程中应加强对检测仪器设备的维护保养、定期检测以及监测元件的检查；应加强对检测仪表的保护，防止损坏。应根据不同原理的仪器和不同的采集方法，采取相应的检查和监测手段，包括严格遵守操作规程、定期检查维护监测系统，加强上岗人员的培训工作等内容。检测仪器、设备和检测元件应符合：满足观测精度和量程的要求；具有良好的稳定性和可靠性；经过校准或标定，且校核记录和标定资料齐全，并在规定的校准有效期内。对同一检测项目，检测时宜符合：采用相同的观测路线和观测方法；使用同一检测仪器和设备；固定观测人员；在基本相同的环境和条件下工作。

3.3 应急管理

3.3.1 地下空间运营过程的应急管理是应对紧急情况，为控制灾害而采取的特定管理措施，应建立应急管理制度和应急系统作为保障。

3.3.2、3.3.3 应急管理针对性强，是具体指导某类特定事故的管理手段。定期组织应急培训、交底、演练，开展应急管理的评价、修改和完善，是优化应急管理的依据，也是提高全体从业人员事故反应能力的有效措施。

3.3.4 地下空间发生影响安全的事故时，为保障地下空间人员、设备、财产等的安全，应立即停止使用地下空间，并根据地下空间事故类型、特点综合确定应急检测的项目、频率。

4　地下空间环境质量控制

4.1　一 般 规 定

4.1.1、4.1.2　地下空间在运营期间，相关环境指标应符合的技术标准有:《工业企业厂界环境噪声排放标准》GB 12348、《城市区域环境振动测量方法》GB 10070、《污水综合排放标准》GB 8978、《电磁环境控制限值》GB 8702 等。室内环境质量检测频率每年应不少于 1 次。

4.2　地下空间室内空气质量

4.2.6　地下空间室内空气质量标准值应符合表 1 的规定。

表 1　地下空间室内空气质量标准值

参数类别	参数名称	标准值
物理性	温度(℃)	18～26
	相对湿度(%)	40～80
	空气流速(m/s)	≥0.20
	照度(lx)	≥100
	新风量[m^3/(h·人)]	≥12.6
化学性	二氧化碳(mg/m^3)	≤0.15
	一氧化碳(mg/m^3)	≤10
	氨(mg/m^3)	≤0.5
	甲醛(mg/m^3)	≤0.12
	苯(mg/m^3)	≤0.09
	甲苯(mg/m^3)	≤0.2
	二甲苯(mg/m^3)	≤0.2
	总挥发性有机化合物(mg/m^3)	≤0.6

续表 1

参数类别	参数名称	标准值
化学性	氮氧化物(mg/m^3)	≤0.15
	铅($\mu g/m^3$)	≤1.5
	可吸入颗粒物(PM10)(mg/m^3)	≤0.15
生物性	菌落总数(撞击法)(cfu/m^3)	≤2500
	溶血性链球菌(cfu/m^3)	≤36
放射性	氡浓度(Bq/m^3)	≤400 (24h 以上平均浓度)

4.3 地下空间防排烟与通风空调系统

4.3.2 抽验地下空间防排烟与通风空调设备系统联动控制功能时，除应确保控制功能和信号应止常外，尚应检查消防控制室的回风管在其穿墙处的防火阀、走道的机械排烟系统竖向设置、房间的机械排烟系统防烟分区设置等应符合排烟系统要求。

4.3.4 机械加压送风防烟系统的作用，是为了在建筑物发生火灾时提供不受烟气干扰的疏散路线和避难场所。因此，加压部位在关闭着门时，必须与着火楼层保持一定的压力差(该部位空气压力值为相对正压)；同时在打开加压部位的门时，在门洞断面处能有足够大的气流速度，以有效地阻止烟气的入侵，保证人员安全疏散与避难。

根据相关国家标准规定，下列部位应设置独立的机械加压送风的防烟设施：

(1)不具备自然排烟条件的防烟楼梯间、消防电梯间前室或合用前室。

(2)用自然排烟措施的防烟楼梯间，其不具备自然排烟条件的前室。

(3) 封闭避难层(间)。

避难走道的前室为保证机械加压送风系统的新风安全可靠（发生火灾时无烟雾混入），新风口应低于排烟口，与排烟口的水平距离应大于20m。因此，新风口（和加压风机）一般应设在建筑物的底部，例如，把加压送风机设置在靠近建筑物底部的设备层。

4.4 地下空间环境保护

4.4.1 《中华人民共和国环境噪声污染防治法》于1997年3月1日起施行，国务院环境保护行政主管部门对全国环境噪声污染防治实施统一监督管理。城市地下空间中工业企业和固定设备厂界环境、营业性文化娱乐场所和商业经营活动和地下空间建设期间施工场地所产生的噪声值和测量方法应符合国家现行有关标准的规定。

4.4.2 噪声的测量主要是声压级、声功率级及其噪声频谱的测量。噪声测量时噪声强弱的量度，是分析噪声成分、判明主要噪声污染源的重要手段，也是评价噪声影响、控制噪声污染的基础。

噪声测量仪器种类很多，最基本、最常用的声级计和频谱分析器。城市地下空间环境噪声测量可采用测量精度＞2的积分式声级计及环境噪声自动检测仪器，其性能应符合国际电工委员会标准《电声学　声级计　第1部分：规范》IEC 61672-1-2002中的规定。声级计每年要校验1至2次。

4.4.3、4.4.4 条文规定了噪声测量的测量条件、测点位置和测量时段：

（1）测量条件。应在天气良好的条件下进行噪声测量，如无雨雪、无雷暴，或风速不超过5m/s的情况下，测量时传声器应加风罩。

（2）测量点设置。测量点选在居住或工作建筑物外，离任一建筑物的距离不小于1m。传声器据地面的垂直距离不小于1.2m。在室内测量时，值室内噪声限值低于所在区域标准值10dB。测点距墙面和其他主要反射面不小于1m，距地板1.2～1.5m，距窗户约1.5m，开窗状态下测量。

(3)测量时间。测量分昼间和夜间两部分分别进行。在规定的测量时间内，每次每个测点测量 10min 的连续等效 A 声级(LAeq)。也可依据地区和季节的不同做出调整。

在具体测量过程中，在某一监测点所测得的测量值是由被测声源排放的噪声与其他环境背景噪声的合成值。如果测量值符合相应区域标准要求，可以不考虑背景噪声的影响，注明后直接进行评价。如果测量值超标，就应当考虑背景值对测量值的影响，进行必要的修正。这就需要正确地测量背景值。背景噪声可以采用直接法和间接法方法进行测量。

4.4.5～4.4.7 地下空间运营过程中所有的环境振动检测应符合现行国家标准《城市区域环境振动标准》GB 10070 的相关规定和要求。

(1)测量位置及拾振器的安装：

①测点应置于地下建筑物振动的敏感处，可置于建筑物室内地面中央；

②确保拾振器平稳，不能安放在松软的地面上以免影响测量精度。

(2)测量条件：

当振源处于正常状态时才可以进行测量工作，同时应避开不良环境因素的影响。

(3)测量数据记录和处理：

环境振动测量按待测振源的类别逐项记录，对振动测量有较大影响的因素应加以标记说明，必要时可作记录。

4.4.8、4.4.9 《污水综合排放标准》GB 8978、《污水排入城镇下水道水质标准》CJ 343 等对城市地下空间废水污染物的排放都有具体规定，地下空间使用者应严格按照相关规定执行。

《地表水和污水监测技术规范》HJ/T 91 规定，监测项目应根据国家规定的环境质量标准，本地区内主要污染源及其主要排放物的特点来选择。同时还要测定一些气象及水文测量项目。具体地讲，要考虑水体功能、污染源类型及人力、财力情况等诸因素而定。

为保证监测数据的准确可靠，达到在全国范围内的统一可比，必须执行计量法，计量认证是我国通过计量立法，对为社会出具公证数据的检验机构（实验室）进行强制考核的一种手段，也可以说是具有中国特点的政府对实验室的强制认可。经计量认证合格的产品质量检验机构所提供的数据，用于贸易出证、产品质量评价、成果鉴定作为公证数据，具有法律效力。监测仪器也应该注重检查和维护，合格后方可使用。

在现场采集废水水样时必须做到：

（1）采集试样时注意不让取样点的侧壁和底部的沉积物混入；

（2）为准备把握废水的特性，随机采集包括化学需氧量浓度最高、平均以及最低时的试样；

（3）将采集的试样保存于 5℃ 的冰箱中，并尽快送到实验室在 12h 内测定。

分析实验室的基础条件：

（1）实验室环境：实验室的噪音、防震、防尘、防腐蚀、防磁与屏蔽等方面的环境条件应符合在室内开展的检定项目之检定规程和计量标准器具及计量检测仪器设备对环境条件的要求，室内采光应利于检定工作和计量检测工作的进行。实验室应保持整齐洁净，每天工作结束后要进行必要的清理，定期擦拭仪器设备，仪器设备使用完后应将器具及其附件摆放整齐，盖上仪器罩或防尘布。一切用电的仪器设备使用完毕后均应切断电源。

（2）化学试剂：遵循“量用为出，只出不进”的原则，严格按照试验步骤进行实验操作，避免发生不必要的事故。实验室应对试剂进行质量检查，一旦发现变质过期的，应立刻废除，并重新配置。

（3）试液的配制和标准溶液的标定。

试剂瓶上应注明试剂名称、浓度、配制日期和配制人，以便日后工作需要。使用过的试剂严禁重新存储使用，试剂也应该根据实际需要进行配置，做到不浪费。

4.4.10～4.4.12 《电磁环境控制限值》GB 8702 地下空间电磁辐射的限值应符合《电磁环境控制限值》GB 8702 的规定，并应按《辐射环境监测技术规范》的要求进行实时监测。

《电磁环境控制限值》GB 8702 监测应符合以下规定：

(1)气候条件：应符合规范和仪器的使用条件要求。测量记录表应注明温度、相对湿度。建议在晴天，温度 4℃以上，相对湿度小于 75%，风力小于 3 级的气候条件下测量；

(2)测量高度：取离地面 1.7m～2m 高度，也可根据不同目的，选择测量高度；

(3)测量频率：取电场强度测量值大于 50V/m 的频率作为测量频率；

(4)测量时间：基本测量时间为 5:00～9:00，11:00～14:00，18:00～23:00 等城市环境电磁辐射的高峰期。每个测点连续测量 5 次，每次测量时间大于 15s，连续测量 6min，并读取稳定状态的最大值。测量读数起伏过大时可适当延长测量时间。

当监测结果显示工作场所辐射值过高时，应设法排除或降低辐射水平，采取有限防护措施以保证安全，同时上报环境保护部门，报告产生过量辐射照射的原因。

电磁辐射监测事先必须制定监测方案及实施计划，只有这样才能保证监测的准确性，监测数据具有如下五方面的质量特征：

(1)准确性：测量值与真值的一致程度；

(2)精密性：均一样品重复测定多次的符合程度；

(3)完整性：数据的总额满足预期计划要求的程度；

(4)代表性：监测样品在空间和时间分布上的代表程度；

(5)可比性：在监测方法、环境条件等可比条件下所获数据的一致程度。

5 地下建筑消防

5.1 一般规定

5.1.1 地下空间运营阶段的防火性能、消防电气系统和消防给水与灭火系统的可靠性是地下建筑消防的核心内容。

5.1.2 城市地下空间装修、改造和运营阶段均应开展状态评估。

5.1.3 地下空间运营阶段消防系统检测应符合《建筑消防设施检测技术规程》GA 503 的规定。

5.2 地下空间防火性能

5.2.3 随着火灾科学和消防工程学科领域研究的不断深入和发展，对燃烧特性的内涵也从单纯的火焰传播和蔓延，扩展到包括燃烧热释放速率、燃烧热释放量、燃烧烟密度以及燃烧产物毒性等参数。对材料燃烧性能级别判定所用的试验方法以及判据有大的变化，特别是考虑了燃烧的热值、火灾发展速率、烟气产生率等燃烧特性要素。

本标准根据《建筑材料及制品燃烧性能分级》GB 8624，将建筑材料及制品燃烧性能级别划分为 A1、A2、B、C、D、E、F。同时要求：检测的试验标准、分级判据和附加分级应满足现行国家标准《建筑材料及制品燃烧性能分级》GB 8624 的要求。

复合材料，是由两种或两种以上不同性质的材料，通过物理或化学的方法，在宏观上组成具有新性能的材料。各种材料在性能上互相取长补短，产生协同效应，使复合材料的综合性能优于原组成材料而满足各种不同的要求。

复合材料的基体材料分为金属和非金属两大类。金属基体常用的有铝、镁、铜、钛及其合金。非金属基体主要有合成树脂、橡胶、陶瓷、石墨、碳等。增强材料主要有玻璃纤维、碳纤维、硼纤维、芳纶纤维、碳化硅纤维、石棉纤维、晶须、金属丝和硬质细粒等。

对表面进行防火处理的材料的燃烧性能应明显优于母材。

装修材料按其使用部位和功能,可划分为顶棚装修材料、墙面装修材料、地面装修材料、隔断装修材料、固定家具、装饰织物、其他装饰材料七类。

进行防火处理的装修材料除满足本条规定外,应满足现行国家标准《建筑内部装修设计防火规范》GB 50222 的要求。

5.2.6 建筑构件的燃烧性能和耐火极限可根据《建筑设计防火规范》GB 50016 的规定。

耐火试验的设备为耐火加热炉。炉压测量与控制设备炉内压力测量可采用压力传感器,传感器应能准确测量静压头,传感器不应布置在易受火焰或烟气直接冲击的地方。炉内压力可通过控制通风和调节烟道闸板来调节;燃烧系统可采用轻柴油、天然气、煤气或丙烷气作为燃烧系统的燃料。燃料由贮油(气)罐通过管道输送到喷嘴与高压鼓风机送来的空气混和,喷入炉内燃烧。燃烧产生的烟气由烟道经烟道闸板进入烟囱;试件变形可采用机械、力学、光学或电子技术方式测量;加载设备可采用液压方式、机械方式或荷重块方式,加载设备应应能模拟均布荷载、集中荷载、轴心荷载和偏心荷载,试验期间能确保试验荷载的大小、方向应保持稳定不变,设备本身变形不应对试件变形测量、热电耦绝缘垫的使用产生影响,测量设备应不影响试件背火面的空气流通和冷却以及妨碍其他项目的测量、观察和操作;约束设备可采用液压系统或其他加载系统作为试件的约束设备,约束设备应能为试件提供合适的边界条件;仪器设备的精确度:炉内温度±15℃,试件背火面温度±4℃,试件内部温度±10℃,炉压测量±3Pa,荷载测量±2.5%,时间测量±2s,轴向收缩或膨胀测量±0.5mm,对于其他变形测量±2mm,直径6mm的探棒缝隙测量±0.1mm,直径25mm的探棒缝隙测量±0.2mm。

5.2.7 试验过程中判定试件达到耐火极限的现象应符合下列规定：

非承重构件：当棉垫被点燃或背火面窜火达10s以上时，则认为试件失去完整性；当试件背火面出现贯通至试件炉内的裂缝，直径6mm的探棒可以穿过裂缝进入炉内且探棒可以沿裂缝长度方向移动不小于150mm，或直径25mm的探棒可以穿过裂缝进入炉内时，则认为试件失去完整性；试件背火面的平均温升超过试件表面初始平均温度140℃或背火面上任何一点的温升超过该点初始温度180℃时，则认为试件失去隔热性。

承重构件：在试验过程中试件发生垮塌；或梁板构件的最大挠度、柱构件的轴向变形、柱构件的轴向变形速率超过规定值时，则表明试件失去稳定性。即：梁或板的最大挠度超过$L/20$(mm)，L为试件计算跨度(mm)。柱轴向变形大于$h/100$(mm)或轴向变形速率大于$3h/1000$(mm/min)，h为柱在加载后，耐火试验前的初始受火高度(mm)。

5.3 地下空间消防电气系统

5.3.3 变压器室应符合下列要求：

(1)变压器室内部所有装修均应采用A级装修材料；

(2)变压器室应布置在地下一层靠外墙部位，并应设直接对外的安全出口；外墙开口部位的上方，应设置宽度不小于1.00m不燃烧体的防火挑檐；

(3)变压器室应采用防火隔墙和耐火极限不低于1.5h的楼板与其他部位隔开。

高压配电装置除满足上述三条的规定外，还需满足《高压配电装置设计技术规程》GB 50060的有关规定。

消防供配电设施检查应除满足本条文外，还需满足行业标准《建筑消防设施检测技术规程》GA 503的有关规定。

5.3.4 未设置火灾应急广播的火灾自动报警系统，应设置火灾警报装置。每个防火分区至少应设一个火灾警报装置,其位置宜设在各楼层走道靠近楼梯出口处。警报装置宜采用手动或自动控制方式。在环境噪声大于60dB的场所设置火灾警报装置时,其警报器的声压级应高于背景噪声15dB。

火灾探测器设置部位,火灾探测器的设置部位应与保护对象的等级相适应。火灾探测器的设置应符合国家现行有关标准的规定。

每个防火分区应至少设置一个手动火灾报警按钮。从一个防火分区内的任何位置到最邻近的一个手动火灾报警按钮的距离不应大于30m。手动火灾报警按钮宜设置在公共活动场所的出入口处。手动火灾报警按钮应设置在明显的和便于操作部位。当安装在墙上时,其底边距地高度宜为1.3m～1.5m,且应有明显的标志。

消防联动控制设计要求,当消防联动控制设备的控制信号和火灾探测器的报警信号在同一总线回路上传输时。消防水泵、防烟和排烟风机的控制设备当采用总线编码模块控制时,还应在消防控制室设置手动直接控制装置。设置在消防控制室以外的消防联动控制设备的动作状态信号,均应在消防控制室显示。

CRT彩色图形显示系统是最新一代消防控制中心火警监控、管理系统,用于火灾报警及消防联动设备的管理与控制以及设备的图形化显示,可与WT8000火灾报警控制器组成功能完备的图形化消防中心监控系统,从而实现火灾报警联动控制系统的现场监控。

5.3.5 自带电源型消防应急照明灯具所用电池为全封闭免维护的充电电池,电池的使用寿命不小于4年,或全充、放电循环次数不小于400次。

疏散指示标志,各类建筑中的隐蔽式消防设备存放地点应相应地设置“灭火设备”、“灭火器”和“消防水带”等标志,远离消防设备存放地点应将灭火设备标志与方向辅助标志联合设置。设有火灾报警电话的地方应设置“火警电话”标志。

方向辅助标志应设置在公众选择方向的通道处，并按通向目标的最短路线设置。设置的消防安全标志，应使大多数观察者的观察角接近 90°。

疏散通道出口处，“安全出口”标志应设置在门框边缘或门的上部。悬挂在室内大厅处的疏散标志牌的下边缘距地面的高度不应小于 2.0m。附着在室内墙面等地方的其他标志牌，其中心点距地面应在 1.3m～1.5m 之间。

“安全出口”标志宜设置在通道的两侧部及拐弯处的墙面上，标志的中心点距地面高度应在 1.0m～1.2m 之间，也可设置在地面上。标志的间距不应大于 10m。

火灾应急广播与公共广播合用时，应符合下列要求：

(1)火灾时应能在消防控制室将火灾疏散层的扬声器和公共广播扩音机强制转入火灾应急广播状态；

(2)消防控制室应能监控用于火灾应急广播时的扩音机的工作状态，并应具有监控遥控开启扩音机和采用传声器播音的功能。应设置火灾应急广播备用扩音机，其容量不应小于火灾时需同时广播的范围内火灾应急广播扬声器最大容量总和的 1.5 倍。

防火隔墙上不宜开设门、窗、洞口，当必须开设时，应设置甲级防火门、窗或耐火极限不低于 3.00h 的防火卷帘。设在疏散走道上的防火卷帘应在卷帘的两侧设置启闭装置，并应具有自动、手动和机械控制的功能。

5.4 地下空间给水与灭火系统

5.4.2 消防水泵应满足下列要求：

供消防车取水的消防水池应设取水口或取水井，其水深应保证消防车的消防水泵吸水高度不得超过 6m。

消防水泵当采用总线编码模块控制时，还应在消防控制室设置手动直接控制装置。

消防给水系统应设置备用消防水泵，其工作能力不应小于其中最大一台消防工作泵。

一组消防水泵，吸水管不应少于两条，当其中一条损坏或检修时，其余吸水管应仍能通过全部水量。消防水泵房应设不少于两条的供水管与环状管网连接。消防水泵应采用自灌式吸水，其吸水管应设阀门。供水管上应装设试验和检查用压力表和65mm的放水阀门。

水泵控制柜检查包括下列内容：应有注明所属系统及编号的标志。按钮、指示灯及仪表应正常，应能按钮启停每台水泵。主泵不能正常投入运行时，应自动切换启动备用泵。

系统应设水泵接合器，其数量应按系统的设计流量确定，每个水泵接合器的流量宜按10L/s～15L/s计算。当水泵接合器的供水能力不能满足最不利点处作用面积的流量和压力要求时，应采取增压措施。

建筑内部消火栓的门不应被装饰物遮掩，消火栓门四周的装修材料颜色应与消火栓门的颜色有明显区别。

室外消火栓的保护半径不应超过150m，在市政消火栓保护半径150m及以内的车库，可不设置室外消火栓。

除报警阀组控制的喷头只保护不超过防火分区面积的同层场所外，每个防火分区、每个楼层均应设水流指示器。仓库内顶板下喷头与货架内喷头应分别设置水流指示器。当水流指示器入口前设置控制阀时，应采用信号阀。

5.4.3 本条强调自动喷水灭火系统的抽验，应符合现行国家标准《自动喷水灭火系统设计规范》GB 50084和《自动喷水灭火系统施工及验收规范》GB 50261的相关要求。

6 地下结构健康监测

6.1 一 般 规 定

6.1.1 地下空间病害的类型主要有水害、冻害、衬砌裂损和衬砌侵蚀。病害发生较多的地段,从地质情况看,一般是断层破碎带,风化变质岩地带、裂隙发育的岩体、岩溶地层、软弱围岩地层等从地形情况看,多发生在斜坡、滑坡构造地带、岩堆崩坍地带等。地下空间内各种病害一般不是单独存在的,而是互相影响、互相作用的。其中最常见的病害形式是水害,应作为最重要的结构病害采取对策,水害不仅增加地下空间湿度,造成电路短路等事故,危及运输安全,而且还引发其他病害。地下空间由于渗漏水、积水,将会劣化结构,改变结构的受力状态和环境岩土介质的性质,造成衬砌开裂或使原有裂缝发展变大,加重衬砌裂损,当地下水有侵蚀性时,会使衬砌混凝土产生侵蚀,并随着渗漏水的不断发展,使混凝土侵蚀日益严重。在寒冷地区,水是影响隧道围岩冻胀的重要因素,衬砌水害严重,必然导致冻害严重。衬砌裂损病害主要表现为衬砌的变形、开裂和错台,而衬砌一旦开裂,将会给地下水打开一条外渗的通道,引发地下空间严重水害,进而就会产生衬砌混凝土的侵蚀,在寒冷地区产生冻害等。

6.1.2 工程地质对地下平面结构物的影响,主要是地质缺陷和地下水造成的地基稳定性、承载力、抗渗性、沉降等问题,对建筑结构选型、建筑材料选用、结构尺寸和钢筋配置等多方面的影响。这些影响在各个工程项目的差别较大。

6.2 地下结构检查内容及要求

6.2.1 常规检测是对地下结构的外观状况进行的经常性巡视检

查，通过经常性检查，应及时发现早期破损、显著病害或其他异常情况，小修保养，制定维修计划。经常性检查应由经过培训的专职管理人员或有一定经验的工程技术人员负责。经常性检查宜以目测为主，配合以简单的检查工具进行，登记所检查地下结构的缺损类型，估计破损范围程度以及养护工作量，关键部位病害附照片，并提出相应的养护措施。经常性检查应按照地下结构的类别、级别等制定巡检周期。在遇恶劣天气、汛期、雨季、冰冻等特殊情况，应加强经常性检查工作。特殊情况可设专人看护。经常性检查记录应每月定期整理归档，并提出评价意见。巡检过程中发现设施明显损坏，影响结构安全，应及时采取相应的维护措施，并应立即向主管部门报告。

地质雷达与探空雷达相似，利用高频电磁波（主频为数十至数百乃至数千兆赫）以宽频带短脉冲形式，由地面通过天线传入地下，经地下地层或目的物反射后返回地面，被另一天线接收。脉冲波旅行时间为 T。当地下介质的波速已知时，可根据测到的准确 T 值计算反射体的深度。

对地下结构的接头，特别是柔性接头，必须进行经常和定期的监测和检查。接头应能承受温度变化、地震力以及其他作用，并保证具有良好的水密性。

6.2.2 在水平地震力作用下，地下结构角部动力反应较大，是结构的薄弱部位，在地震后检测中应予以重点检查。

6.2.3 地下结构由于其埋深在地下，再加上空间狭小、空气流通不畅及出入口数量少等特殊的空间局限，一旦发生火灾，烟雾浓度大，且很难顺利排出，车辆人员不易及时疏散。更严重的是火灾高温会导致钢筋混凝土强度降低，产生裂缝，危及地下结构的抗渗性和安全，导致严重的直接和间接损失。因此，应通过现场检测以及必要的分析或试验，对火灾后的地下结构的损伤程度做出合理的评价，为制定相应修复策略和加固措施提供依据。

6.3 地下结构健康检测与监测

6.3.2 为了了解地下结构的受力变形情况，确定其稳定性，掌握地下空间运营对地下管线、建筑物等周围环境条件的影响程度，在地下空间运营过程中需对其进行全面、系统的监测。

6.3.3 工程鉴定中关注的是特定位置的最大裂缝宽度，限制裂缝宽度的主要目的是防止侵蚀性介质渗入导致钢筋锈蚀。裂缝宽度可能随着气温、温度、季节及使用荷载的变化而变化。进行裂缝宽度的长期观测，应考虑上述因素可能产生的影响。

6.3.9～6.3.11 地下结构应采用非破损或局部破损的检测方法进行混凝土强度的评定，可根据国家现行标准采用回弹法、超声回弹综合法、钻芯法、后装拔出法等方法。

6.3.13 地表沉降对地下结构具有一定的不良影响，必须在地表沉降监测的基础上提出保护地下结构的安全的措施。

地下水位的变化是影响地表沉降的重要因素，对埋置在地下水位以下的地下结构影响尤为重要，应在地下结构外侧设置水位观测点，监测井点降水效果和渗流处渗流情况。

宜用水准仪对地下结构及结构两侧预埋的地表桩进行沉降观测，根据观测数据，确定控制地下建筑土体垂直和水平位移的措施。

地表沉降可用派克(peck)法估算。即假定地表沉降是在不排水情况下发生的，所以沉降槽的体积应该等于地层损失的体积，此法假定地层损失在地下结构长度上均匀分布，地表沉降的横向分布满足正态分布曲线。

地面沉降量的横向分布估算公式为：

$$S_{(x)} = \frac{V_1}{\sqrt{2\pi} i}\exp\left(\frac{x^2}{2i^2}\right)$$

$$S_{max} = \frac{V_1}{\sqrt{2\pi} i} \approx \frac{V_1}{2.5i}$$

$$i = \frac{Z}{\sqrt{2\pi}\tan(45° - \phi/2)}$$

式中：S_{max}——最大沉降量(m)，即地下结构中心处沉降；

V_1——单位长度地层损失量(m^3/m)；

$S_{(x)}$——沉降量(m)；

i——沉降槽宽度系数(地下结构中心线至沉降曲线反弯点的距离 m)；

Z——地面至地下结构中心深度；

φ——土的内摩擦角。

6.4 地下结构状态评价

6.4.1 地下结构运营阶段的健康状态和可靠性关系着人类生命安全和社会经济活动，其地质条件恶化、火灾、结构损伤、退化和失稳等造成的事故，严重威胁着地下结构的正常运营。

为了确保地下结构的安全，加固与改造地下结构，实现地下结构运营过程的险情预报，对地下结构的安全和稳定状态进行监测和评估是十分重要。建立监测系统对地下结构进行监测、评估和预测以趋利避害，已经成为现代工程防灾减灾的迫切要求。

6.4.3 地下结构裂损类型主要包括变形、移动和开裂三种。变形有横向变形和纵向变形两种；移动是指结构的整体或部分出现转动(倾斜)、平移和下沉(或上抬)等变化，也有纵向移动与横向移动之分；开裂是结构表面出现裂缝，是结构变形的结果，包括有张裂、压溃和错台三种状态。

地下结构裂损劣化的等级分为 A、B、C、D 等四级，裂损的等级评定应分类分别进行。变形或移动的等级评定方法是按变形、移动、下沉等的发展速度来划分的。开裂的等级评定主要是根据裂缝的长度和宽度来判定，还应考虑裂缝的发展速度，目前发速度限值未能确定，故只能作参考值。对于压溃劣化等级划分是根据所在的部位(重点是拱部)、范围、深度的大小来确定。

6.4.4、6.4.5 地下结构渗漏水类型主要包括漏水和涌水、结构周围积水、潜流冲刷和侵蚀性水对地下结构的侵蚀等几种。围岩的地下水或地表水以渗、滴、漏、淌、涌等形式进入地下结构内就会造成漏水或涌水的危害，这是地下结构中最常见的一种病害；地表水或地下水向地下结构周围渗流汇集，如不能及时排走将引起地下结构积水的危害；地下水渗流和流动对地下结构或围岩的冲刷和溶蚀作用会引起地下结构的潜流冲刷的危害；地下水因含有盐类、酸类和碱类等化学成分，对混凝土的腐蚀作用会形成水蚀病害。

渗漏水对地下结构功能影响程度的等级可分为A、B、C、D四个等级，A级又可分为AA和A_1两个等级。评定等级时可用肉眼观察的方法，按病害基准中最严重的一项评定。

6.4.6 地下结构衬砌材料劣化是指修建村砌的材料（片石、混凝土等）在空气、水、烟、盐等侵蚀介质作用下发生的劣化现象。

地下结构衬砌材料劣化类型包括混凝土衬砌腐蚀和砌块衬砌腐蚀两大类。混凝土衬砌由于长时间使用，当受到侵蚀介质经常作用时，会出现混凝土强度降低、起毛、酥松、麻面峰窝、起鼓剥落、孔洞露石、骨料分离等材质破坏现象。有的用手可捏成粉末，严重者成豆腐渣状；用片石、混凝土砌块等材料修成的隧道，可能会产生片石、混凝土砌块本身风化剥落的现象，也可能产生灰缝失去粘结力和抗压强度，从而发生灰缝脱落，砌块松动，甚至导致衬砌变形，沿灰缝开裂和掉块，失去支护围岩的能力。

衬砌材料劣化等级可分为A、B、C、D等四个等级，其中A级分为AA和A1两个等级。确定衬砌材料劣化的类型和等级，可以采用目视观察和仪器检测等方法进行。评定衬砌材料劣化等级，由于状况有多项，应按劣化最严重的一项进行评定。检查衬砌材料劣化可用敲击声检法和钻孔调查法。

6.4.8 将地下结构体系按照结构失效的逻辑关系，划分为构件、子单元和鉴定单元三个层次。对于安全性和可靠性鉴定，每个层次划分为四个等级；对使用性鉴定，每个层次划分为三个等级。鉴定从第一层次开始,根据构件各检查项目的评定结果,确定单个构件等级;根据子单元各检查项目及各种构件的评定结果,确定子单元等级;再根据子单元的评定结果,确定鉴定单元等级。

7 智能管理

7.1 一般规定

7.1.1～7.1.3 建筑智能系统是利用现代通信、信息、计算机网络和监控等技术，对建筑和建筑设备进行自动检测与优化控制，对信息资源进行优化管理，从而实现对建筑物的智能控制与管理，满足用户对建筑物的监控、管理和信息共享的需求，向人们提供安全、舒适、高效、便利和环保的综合服务环境，实现投资合理、适应信息社会需要的目标。

7.2 智能管理子系统的内容及要求

7.2.1 通信网络系统是在建筑或建筑群内传输语音、数据、图像且与外部网络（如公用电话网、综合业务数字网、因特网、数据通信网络和卫星通信网等）相联结的系统，主要包括通信系统、卫星数字电视及有线电视系统、公共广播及紧急广播系统等各子系统及相关设施，其中通信系统包括电话交换系统、会议电视系统及接人网设备。以数字式程控交换机为核心建立计算机局域网，连接各种型号的网络工作站和计算机终端，接通分布式数据库，实现高速数据传输，确保数字、文字、声音、图形和图象信息的高速流通，并与公共广域网（如电话网、电报网、计算机广域网、卫星通信网等）连接，建立互联网网络，连接并注册互联网网点，通过电脑联网传递双向音象通讯、数据、图片资料等，与国内外媒体及有关机构实现信息共享。

7.2.2 有线电视系统主要由信号源、前端、干线传输和用户分配网络组成。信号源主要来自卫星地面站、城市有线电视网、摄像机、录像机、影碟机信号等，信号源接收部分的主要任务是向前端提供系统欲传输的各种信号，一般包括开路电视接收信号、调频广播、地面卫星、微波以及有线电视台自办节目等信号。系统的前端通常指信号处理设备站，配备滤波器、图像伴音调制器、频率变换器、频道放大器、卫星接收机、信号均衡器、功分器、导频信号发生器、调制解码器、系统监视计算机等设备，前端部分的主要任务是将信号源送来的各种信号进行滤波、变频、放大、调制、混合等，使其适用于在干线传输系统中进行传输。系统的干线传输部分主要任务是将系统前端部分所提供的高频电视信号通过传输媒体不失真地传输给分配系统。其传输方式主要有光纤、微波和同轴电缆三种。

7.2.3 公共广播系统为宾馆、商厦、港口、机场、地铁、学校提供背景音乐和广播节目。近几年来，公共广播系统还兼做紧急广播，可与消防报警系统联动。公共广播系统的控制功能较多。如选区广播与全呼广播功能、强制功换功能和优先广播权功能等。扬声器负载多而分散、传输线路长。为减少传输线路损耗，一般都采用70V或100V定电压高阻抗输送。声压要求不高，音质以中音和中高音为主。

7.2.4 屏幕显示系统是集多种信息接收处理显示、多类人员操作控制于一体的多媒体互动系统，涉及声光电多方面技术问题，也涉及有关部门的管理协调问题，必须注重需求为主、统筹兼顾、运用综合集成技术，才能使之达到预期效果。

7.2.5 火灾报警控制系统通过控制火灾报警控制器，用来接收火灾信号并启动火灾报警装置。该设备也可用来指示着火部位和记录有关信息。能通过火警发送装置启动火灾报警信号或通过自动消防灭火控制装置启动自动灭火设备和消防联动控制设备。自动的监视系统的正确运行和对特定故障给出声、光报警。

7.2.6 地下停车库管理系统可以提高安全、可靠、方便的停车场管理收费模式，降低停车场的运营费用、保障场内车辆的安全，实现停车场管理的自动化、现代化。

7.2.8 视频安防监控系统一般由前端、传输、控制及显示记录四个主要部分组成。前端部分包括一台或多台摄像机以及与之配套的镜头、云台、防护罩、解码驱动器等；传输部分包括电缆和/或光缆，以及可能的有线/无线信号调制解调设备等；控制部分主要包括视频切换器、云台镜头控制器、操作键盘、种类控制通信接口、电源和与之配套的控制台、监视器柜等；显示记录设备主要包括监视器、录像机、多画面分割器等。

7.2.9 入侵报警系统利用传感器技术和电子信息技术探测并指示非法进入或试图非法进入设防区域（包括主观判断面临被劫持或遭抢劫或其他危急情况时，故意触发紧急报警装置）的行为、处理报警信息、发出报警信息的电子系统或网络。

7.2.10 巡更系统包括：巡更棒、通讯座、巡更点、人员点（可选）、事件本（可选电子巡更系统组成）、管理软件（单机版、互联巡更版、网络版）等主要部分。

7.2.11 设备管理系统和控制管理系统的正常运行，可以保证空调设备监控系统、供排水设备监控系统、电梯监视系统、电力设备监视系统等处于正常工作状态。

7.2.12 综合布线系统工作主要包括缆线敷设和终接，机柜、机架、配线架的安装，信息插座和光缆芯线终端的安装

7.2.14 公共信息服务系统的建设目标是采用先进成熟的技术、科学合理的方法将种类繁多、涉及部门宽广，存放位置凌乱的公共信息数据源进行规范与集中，应利用统一的用户使用方法、统一的用户签约方式、统一的数据管理、安全的数据接口、便捷的系统搭建方法、统一灵活接口调用功能。

7.2.15 一个标准智能卡应用系统的最基本的构件包括智能卡、智能卡接口设备（智能卡读写器）、PC 机，较大的系统还包括通信网络和主计算机等。

7.2.16 信息网络安全系统信息网络安全是指防止信息网络本身及其采集、加工、存储、传输的信息数据被故意或偶然的非授权泄

露、更改、破坏或使信息被非法辨认、控制，即保障信息的可用性、机密性、完整性、可控性、不可抵赖性。

7.2.17 应急联动指挥系统的任务是测、报、防、抗、救、援，应以综合通信为纽带（计算机网络、有线通信网、无线通信网以及它们之间的互联），以联合指挥为核心，以接处警为重点，集信息获取、信息传输、信息利用、信息发布于一体，并借助各种辅助系统进行决策。

7.2.18 能耗监控系统是为耗电量、耗水量、耗气量（天然气量或者煤气量）、集中供热耗热量、集中供冷耗冷量与其他能源应用量的控制与测量提供解决方案的能耗监控系统，应以计算机、通讯设备、测控单元为基本工具，建立地下空间建筑的实时数据采集、开关状态监控机远程管理与控制平台。

7.3 监控系统的布设及要求

7.3.4 火灾自动报警系统应有自动和手动两种触发装置。各种类型的火灾探测器是自动触发装置，而在防火分区疏散通道、楼梯口等处设置的手动火灾报警按钮是手动触发装置，它应具有应急情况下，人工手动通报火警的功能。

7.3.5 闭路电视系统应能提供某些重要区域近距离的观察、监视和控制。一般在系统应设置电视摄像机，以实现全方位监控。

7.3.8 燃气管道监控系统应依托物联网技术，通过实时监控，掌握关键节点的管网压力、管网流量、燃气浓度、热值、温度及闸井内的积水高度等运行数据；实现智能报警，通过 GIS 地理信息系统，实时监控现场数据；实现广泛的数据监控、紧密的数据集成、智能的调度和作业、智慧的分析和决策；及时掌握城市燃气管网整体运行情况提供有效服务，提高城市地下空间燃气管网安全运行管理水平。

7.3.9 对集水井实施实时监测，用水位自动探测设备检测水位，然后控制水泵控制输水和出水，以此达到节约水资源的目的。

7.3.10 地下空间内应利用有线通信、简易通信等辅助方法。地下空间通信包括无线通信、有线通信、计算机通信和简易通信等方式。广播设备系统是用来满足在火灾等紧急事件时引导人员疏散的要求等目的而设计的广播系统，通常这种广播系统都与上两种系统合并使用，合并设计时，首先应按紧急广播系统的要求来确定系统。

8 应急管理

8.1 一般规定

8.1.1 为及时有效地实施应急救援工作，最大程度地减少人员伤亡、财产损失，维护生命安全，维持正常的安全生产秩序，城市地下空间设施的规划建设要严格遵守和执行国家各项防灾技术规范和标准，做到依法开发、依法利用、依法管理。当发生灾难事故时，要牢固树立“以人为本”的思想，要最大程度地减少人员伤亡和财产损失，维护社会稳定。

8.2 应急预案

8.2.1 针对安全生产和应急管理的要求，我国已建立了《中华人民共和国安全生产法》、《中华人民共和国消防法》、《突发公共卫生事件应急条例》、《国务院关于特大安全事故行政责任追究的规定》和《国家突发公共事件总体应急议案》等法规，地下空间应急管理预案编制时可参照相关要求执行。

8.2.2～8.2.4 地下空间应急管理要按照谁使用受益谁负责应急管理的原则，做到效益与责任相结合。要通过法律、法规和规章来落实应急管理责任，明确使用单位为应急管理的责任主体，地下空间主管部门为应急管理监管部门。同时，城市应急管理部门也要加强应急管理措施的指导与检查监督，确保责任落实到位，指导监管到位。

8.3 应急响应

8.3.2 地下空间运营管理企业要制定安全防火制度、检查制度、会议制度，贯彻落实防火强制性规定，防火器材要齐全，符合标准，提高职工的防火安全意识；

救人重于灭火，发生火灾时首要任务就是把被围困人员抢救出来；

当火灾事故发生时，应立即了解起火部位，燃烧物质的基本情况，及时拨打火警电话“119”向消防部门报警，同时组织撤离和扑救工作；

消防部门到达前，对易燃易爆的物质采取正确有效的隔离。如切断电源，撤离火场内人员和周围易爆的物质及一切贵重物品，根据火场情况，机动灵活地选择灭火器具。

8.3.3 地下空间地震灾害紧急处理应遵循下列原则：

省级人民政府是处置本行政区域重大、特别重大地震灾害事件的主体。地震应急依靠人民群众并建立广泛的社会动员机制，依靠和发挥人民解放军和武警部队在处置地震灾害事件中的骨干作用和突击队作用，依靠科学决策和先进技术手段。

地震灾害现场实行政府统一领导、地震部门综合协调、各部门参与的应急救援工作体制。

现场紧急处置的主要内容是：沟通汇集并及时上报信息，包括地震破坏、人员伤亡和被压埋的情况、灾民自救互救成果、救援行动进展情况；分配救援任务、划分责任区域，协调各级各类救援队伍的行动；组织查明次生灾害危害或威胁；组织力量消除次生灾害后果；组织协调抢修通信、交通、供水、供电等生命线设施；各级各类救援队伍要服从现场指挥部的指挥与协调。

8.3.4 地下空间爆炸事故发生后，最先发现者应及时报告直接领导、主管领导或值班领导。领导接到报告后，应立即组织对伤亡人员的抢救，采取有限措施控制事态扩大，并逐级向上报告；存放易燃气体、易燃物仓库内的照明装置一定要采用防爆型设备，导线敷设、灯具安装、导线与设备连接均应满足有关规范要求。

8.3.5 地下空间运营过程中应坚持“安全第一、预防为主”的方针，加强电网安全管理，落实事故预防和隐患控制措施，有效防止重特大电力生产事故发生。发生大面积停电事故后，应坚持统一指挥的原则，组织开展事故抢险、应急救援、维护社会稳定、恢复生产等各项应急工作；地下空间运营管理组织机构要组织开展停电救援和紧急处置演习，提高对大面积停电事件处理和应急救援综合处置能力。

8.3.10 地下空间发生事故时，地下空间运营管理组织机构应启动并实施应急预案，做好指挥、领导工作。需要上级政府、部门或其他应急力量支援时，向上级政府提出请求。

特别重大的事故灾难发生后，现场人员应及时采取有效措施阻止事故扩大，并报告当地政府或指挥中心，并注意严格保护事故现场。因抢救人员、防止事故扩大等原因，确需移动现场物件的，应尽可能地作出标志，并妥善保存现场重要痕迹。

8.4 后期处置

8.4.1 发生地下空间灾难事故后，相关企业应按照法律法规规定，及时对受害者、经营者、管理者、群众及其家属进行补偿或赔偿；负责清除事故现场有害残留物，或将其控制在安全允许的范围内。

8.4.2 根据现场救援指挥部提交的地下空间事故报告和应急救援总结报告，城市地下空间事故灾难应急协调办公室组织总结分析应急救援经验教训，提出改进应急救援工作的意见和建议。

8.4.3、8.4.4 事故调查组应全程开展勘查、取证和分析等工作，并在应急状态解除后整理和审查所有的应急记录和文件等资料，总结和评价导致应急状态的事故灾难原因和在应急期间采取的主要行动，及时作出书面报告。

8.5 保障措施

8.5.1 地下空间事故应急求援指挥中心负责建立系统维护以及信息采集等制度，明确参与部门的通讯方式，分级联系方式，并提供备用方案和通讯录。

应急响应期间，地下空间事故灾难应急指挥中心应保证领导小组、指挥部及其他重要场所的通信保障方式，提供相应地下空间事故灾难信息，为应急决策和专家咨询提供依据。

8.5.2、8.5.3 领导小组是地下空间安全事故应急救援工作的主要监督力量；领导小组下设的技术处理组是地下空间安全事故应急救援技术队伍，事故发生后应根据预案要求及事故现场实际，迅速制定切实可行的技术处理方案、抢险救援方案，为地下空间安全事故应急救援提供技术支持；指挥部下设的办公室应负责制定演练方案并组织有关部门进行演练。

8.5.4、8.5.5 地下空间使用单位应采用应急演习等多种多样的方式，普及地下空间安全运营及应急的基本常识和救助知识。